낭독을 시작합니다

소리 내어 읽으면 많은 것이 달라진다

낭독을 시작합니다

색깔 있는 성우 7인의 <목소리·말·마음>

문선희
정 남
이용순
임미진
송정희
조예신
서혜정

페이퍼
타이거

낭독 인연으로 만난 여러분, 반갑습니다.

소리 내어 책을 읽는 사람은 언젠가는 '어떻게 읽어야 하는가?'라는 질문에 부딪히게 됩니다. 소리 내어 읽기를 업으로 삼고 있는 저희도 그 질문을 거쳐왔습니다.

더 충만하고 감동적인 소리를 내려고, 멋드러진 기교보다는 진심과 영혼을 담으려고, 마치 귀로도 볼 수 있는 것처럼 생생하게 들리도록 오랫동안 고민했지요. 처음에는 하나의 질문이었던 것이 시간이 지나면서 몇 개의 갈래로 나뉘었습니다. '잘하는 낭독이란 무엇일까?', '어떻게 소리 내고 호흡해야 하는가?', '목소리를 더 좋게 하는 방법이 있는가?', '삶의 여유와 재미를 낭독으로 찾을 수 있을까?' … 이러한 물음에 대해 일곱 명의 성우가 저마다의 낭독 생각을 담았습니다. 적게는 20여 년, 많게는 40여 년의 성우 생활로

눌러 담은 노하우도 함께 실었습니다. 그러니 처음부터 순서대로 읽어도 좋고, 매력적으로 다가오는 곳부터 시작해도 좋습니다. 하지만 어떤 경우든 집중하면서 충분히 느끼고 알아차려야 합니다. 그러면 분명 여러분도 질문의 답을 얻을 수 있습니다.

　이 책은 누구나 낭독을 즐길 수 있도록 도와주는 안내서이자, 좋은 소리를 스스로 찾아가게 하는 워크북입니다. 목소리에 관심이 큰 분, 독서를 사랑하는 분, 대중 앞에서 말할 일이 많은 분, 좀 더 깊게 낭독을 배워보고자 하는 분 등 남다른 감성과 섬세한 감각이 필요한 이에게도 영감과 기초를 제공할 것입니다. 낭독을 지도하는 분들에게는 체계적으로 강습할 수 있는 지침서가 될 것이고요. 그리고 지금도 어디선가 소리 내어 책을 읽고 있을 이에게 보내는 다정한 응원과 공감이기도 합니다.

　부디 이 책을 천천히 즐겨주시길 바랍니다. 저희는 말에는 자신이 있지만 글은 아직 그에 미치지 못해서 서둘지 않고 고심하며 썼습니다. 첫 문장을 쓴 이래로 나는 그때 어떻게 했었나, 이런 경우라면 어떤 방법이 좋을까를 쓰다가, 쉬다가, 생각하기를 반복하며 천천히 담아냈답니다. 그러니 여러분도 문장 앞에서 잠시 멈춰서서 바라보고, 의미를 생각해보고, 행간과 여백을 충분히 느껴보세요. 책장을 덮고 눈을 감았다가 종이가 손끝에 걸리는 감촉을 떠올리기도 하면서요. 그러다 비로소 문장이 내 것이 되어 감정이 올라왔을 때 소리 내어 책을 읽는 가치와 기쁨이 더욱 크게 다가올 것입니다.

낭독에 집중하다 보면 마음이 한없이 편안해집니다. 텅 빈 듯 고요한 상태가 계속되다가, 어느 한순간 지극히 몰두해서 책을 읽어 내려가는 멋진 목소리로 꽉 찬 광경에 놀랄 것입니다. 입을 떼서 소리를 내는 것만으로도 당신의 삶은 달라지기 시작합니다.

매일 소리 내어 읽어보겠다는 다짐이 생겼다면, 이제 시작해 볼까요?

문선희·정남·이용순·임미진·송정희·조예신·서혜정

차례

들어가는 말   004

왜 지금, 낭독해야 하는가 **문선희**   010

몰입을 부르는 낭독 **정남**   048

칼럼 / 소중한 기억을 오래 간직하는 방법   084

오감五感을 여는 낭독 **이용순**   090

낭독은 놀이다 **임미진**   130

너와 나, 우리를 위한 낭독 **송정희**   172

칼럼 / 세계의 유명 성우들   206

치유하는 낭독 **조예신**   212

오디오북과 북내레이터 **서혜정**   244

왜 지금, 낭독해야 하는가

1990년 KBS 22기 성우. 운명보다는 자신을 믿고 시작한 성우 생활은 사람들의 목소리에 담긴 삶을 이해하고 사랑하게 해준 보물상자와도 같았다. 사람 사는 이야기를 감동적으로 전달하고 싶어 소리 내어 책을 읽는다. 중앙대학교 예술대학원에서 연기를 전공하였고, 지은 책으로는 『성우(2013)』가 있다. 대표작인 <카드캡터 체리> 외에도 수백여 편의 방송과 애니메이션, 영화와 CF 등 폭넓은 스펙트럼을 발랄하고도 지적인 목소리로 능숙하게 오간다.

글이 마음으로, 마음이 목소리로

책 읽을 겨를도 없이 바쁜 우리의 일상. 그 와중에 시간을
내어 낭독한다는 건 엄청난 의지와 에너지가 필요한 일일
겁니다. 그런 지금, 왜 굳이 낭독이어야 하냐고 묻는 분들이
계실 거예요.

요즘처럼 내면의 자기 돌봄이 더 절실해진 상황에서 낭
독은 놀이이자 취미, 성장의 도구가 될 수 있습니다.

저는 마음이 불안하고 조급해질 때 어떤 책이라도 펼쳐
들고 낭독을 시작합니다. 그러면 마치 '오늘의 운세'처럼 우

연히 만난 글귀에서 위로와 희망을 발견하곤 하지요. 낭독은 내 마음에 공감하는 좋은 친구가 되어줍니다.

시대의 어른, 이어령 선생님의 마지막 순간을 떠올려봅니다. 항암 치료를 거부한 채 마지막 순간까지 삶과 죽음을 담담하게 맞이하고 떠나신 모습이 경이롭고, 또 아름다웠습니다.

돌아가신 지 얼마 안 된 어느 날, 우연히 들른 서점 한 코너에 선생님의 책들이 전시되어 있었습니다. 『거시기 머시기』, 『헌팅턴 비치에 가면 네가 있을까』, 『80초 생각나누기』… 경건한 마음으로 책을 쓰다듬다 몇 권을 사 들고 왔습니다. 물음표와 느낌표 사이를 오가며 집필했을 선생님을 생각합니다. 세상에 전하는 마지막 인사말들을 담아낸 인터뷰집 『이어령의 마지막 수업』을 천천히 음미하며 소리 내어봅니다.

은밀한 속내를 내게만 속삭여주는 듯한 착각은 낭독이 주는 선물입니다. 선생님의 숨결이 귓불을 간지럽힙니다.

"바람 한 점 없는 날에도 내 마음은 흔들린다. 살고 싶어서."

'살고 싶어서'라는 활자가 요동쳐 호흡이 잠시 멈춰섭니다. 서둘러 마지막 육필원고 『눈물 한 방울』도 펼쳐봅니다.

필체의 꼬리가 흐려지는 만큼 시야도 흐려집니다. 겸허하게 잦아드는 필체처럼 소리에서도 힘이 빠집니다. 감정의 동화가 소리 없는 눈물로 변했습니다. 코가 맹맹해지지만 낭독을 멈추지는 않습니다.

인간의 힘으로는 어찌할 수 없는 텅 빈 마음이 내 목소리로 전이됩니다. 그 목소리가 다시 나를 위로합니다. 선생님과의 멈출 수 없는 대화는 표면이 아닌 마음의 진피층까지 흡수되는 영양크림이 되어 가르침을 줍니다. 울어도 된다고, 표현해도 된다고. 어른도 죽음 앞에 엄마를 찾고 싶다고 말입니다. 그 모든 게 자연스러운 일이라고요.

여러분도 그냥 눈으로 한 번, 또 소리 내어 한 번 읽어보세요. 혹시 차이가 느껴지나요? 작가의 마음이 되어 낭독해보는 거예요. 그 순간, 그 감정에 집중해서요. 천천히 말의 의미도 느껴보고, 마음이 시키는 대로 충분히 쉬어가다 보면 눈으로 이해할 때와는 다른 진동이 분명히 느껴질 겁니다.

마음이 어지러울 때나 갈팡질팡 길을 잃었을 때, 좋은 글들을 찾아 펼쳐보세요. 이내 일렁였던 파장이 잔잔해지는 것을 느낄 겁니다.

책을 읽으며 좋은 글을 발견하면 밑줄을 긋거나 메모하는 일은 흔한 일이지요. 낭독은 좋은 내용을 더 잘 새기려고 마음에 밑줄 긋는 일과 같습니다. 낭독이 재미있으려면 처음엔 책 한 권을 다 정복하겠다는 생각보다 짧은 문장에 먼저 집중해 보세요. 읽고 싶은 부분, 마음에 드는 문장만 발췌해서 읽어도 괜찮아요. 고딕체 글자처럼 마음에 와닿는 글자만 소리 내는 거지요.

좋은 글을 천천히 음미하며 낭독하다 보면 어휘도 확장되고 표현력도 풍부해집니다. 자신감이 생겨 내 감정을 알아차리고 표현하는 데도 도움이 되죠.

낭독은 말하기 수업의 훌륭한 교재가 되기도 하는데요. 『말 그릇』에서 저자는 말이란 기술이 아니라고 합니다. 매일 매일이 쌓여서 만들어진 습관에 가깝고 그 사람만이 가진 독특하고 일관된 방식으로 나온다고 하죠. 그런 것들이 그 사람의 내면을 보여주는 거고요. 그러니 좋은 글을 소리 내어 읽으며 내면을 한 겹씩 쌓아올려 보세요. 낭독이 이 시대 좋은 친구가 되어 줄 것입니다.

누구나 낭독할 수 있나요?

목소리를 내어 책을 읽을 수 있는 사람이라면 누구나 낭독할 수 있습니다. 하지만 누구나 낭독할 수 있다고 해서 모두가 잘하는 것은 아닙니다. 그렇다면 어떻게 해야 할까요?

첫째, 소리를 내어보세요

낭독은 자기표현의 시작이자 자신을 알아가는 과정이기도 합니다. 내가 어떤 책을 좋아하는지, 어떻게 소리를 내는지, 어떤 감성을 좋아하는지 말입니다. 부끄럽다면 혼자 조용히 읽어봐도 좋습니다. 조금 긴 호흡으로요. 목소리에는 그 사람의 삶이 묻어 있으니까요. 성격이나 감정, 태도가 목소리에서도 보입니다. 『낭송의 달인 호모큐라스』에서 고

미숙 작가는 '낭독은 삶을 바꾸는 독서법이다'라고 합니다. 소리 내어 읽으면 우울한 이들은 명랑해지고 기분이 들뜬 이들은 오히려 차분해진다고 하는데요. 낭독을 통해 감정의 수평도 맞출 수 있기 때문이죠.

처음엔 그냥 소리 내어 읽어보세요. 내 목소리를 듣고 자신을 마주해야 합니다. 부끄러움과 낯설음의 장벽을 넘어서야 확신있는 소리가 나오거든요. '내용을 잘 파악했구나'하는 확신, '잘 전달하고 있구나'하는 확신, '나 자신을 잘 알고 있구나'하는 확신도 생길 겁니다. 확신이 생기면 비로소 낭독에 힘이 붙을 거예요.

둘째, 읽지 말고 말해보세요

읽는다는 행위에 형식이 개입하지 않았나요? 보통 나도 모르게 '책은 이렇게 읽어야 하나?' 하고 틀에 갇힌 소리를 내게 됩니다. 목소리의 톤이나 빠르기, 끊어 읽기가 일관된 형식으로 진행되기 쉽죠. 처음에는 낭독의 톤과 음률에 매여 소리 내는 일에만 집중하게 됩니다. 하지만 목소리와 발음보다는 내용에 집중하고 편하게 소리 내 보세요. '잘한

"낭독은 자기표현의 시작이자
자신을 알아가는 과정이기도 합니다.
내가 어떤 책을 좋아하는지,
어떻게 소리를 내는지,
어떤 감성을 좋아하는지 말입니다."

다, 못한다' 생각을 버리고요. 그러면 차차 알게 됩니다. 집중하다 보면 내용에 담긴 생명력을 느낄 테니까요.

낭독을 더 잘하고 싶어서 찾아오신 분에게 가장 먼저 제안하는 것은 "말하듯 읽어보세요"입니다. 책을 글자대로 읽지만 말고 나의 말처럼 표현해 보라는 의미인데요. 저는 낭독자들에게 방금 읽은 글이 무슨 내용인지 말로 설명해 보라고 합니다. 그러면 대답을 잘 못하는 경우가 있어요. 그냥 소리만 따라갔기 때문이지요. 단어가 주는 뉘앙스, 글에 담긴 의미와 감정을 낭독에 담아야 합니다. 그 외에는 여타의 생각을 버리고 읽고 있는 그 문장이 무엇을 말하는지에만 집중해 보세요.

셋째, 메타인지 낭독을 해보세요

메타인지 학습법은 내가 무엇을 알고 모르는지를 명확히 아는 것을 말하죠. 아는 것을 쉽게 설명할 수 있을 때 제대로 안다고 할 수 있습니다. 낭독도 마찬가지입니다. 글을 제대로 알고 소리를 내는 것인지 내가 먼저 인지해야 합니다. 문장을 이해한 만큼 낭독의 소리도 달라지니까요. 내용을 충분히 이해하면 소리가 당당해집니다. 강조할 부분에 적당한 리듬과 변조가 생겨 듣기 좋은 말하기가 되거든요. 단순히 소리만 입혀 읽는 게 아닙니다. 단어나 문장이 살아 있는 생선처럼 팔딱여야 하는 거죠.

그냥 무심코 던져지는 소리가 아닌, 의미가 담긴 내 소리를 음미하다보면 알게 됩니다. 자기 내부에서 오는 깨달음이 있거든요. 자신에게든, 타인에게든 상대가 바로 앞에 있다고 생각하면서 호흡을 가라앉히고 친절하게 읽어보세요. 듣는 이가 내용을 잘 이해하도록 정성을 쏟아서요. 정확한 의미, 여기에 감성과 에너지까지 전달한다면 더할 나위 없이 좋은 낭독이 될 것입니다.

넷째, 잘 들어보세요

낭독을 잘하려면 '듣는 귀'가 생겨야 합니다. 다른 이가 들려주는 낭독에도 귀를 내어주세요. 저는 낭독 수업을 하면서 자신이 좋다고 생각하는 다른 사람의 낭독을 그냥 들어만 보라는 과제를 줍니다. 그러면 조금 집중해서 듣는 것만으로도 내 낭독의 문제가 좋아집니다. 다른 사람의 목소리를 잘 듣다 보면 내 안에 존재하는 또 다른 목소리에도 집중할 수 있는 여유가 생기거든요. 잘 듣는다는 건 그만큼 마음에 여유가 있다는 뜻이기도 합니다. 낭독은 바쁜 마음에 혼자만 급히 내달리는 경주마가 아닙니다. 쉼표를 확인하며 걷는 산책 놀이입니다. 결국 낭독은 경청의 시작인 셈이죠.

인디언 소년들은 자연에서 삶에 필요한 지혜를 얻기 위해 침묵하고 듣는 훈련을 한다고 합니다. 바람 소리, 대지의 숨소리, 꽃과 벌레 소리. 이 모든 자연의 소리를 들으며 집중하는 것으로 귀 기울이는 법을 배우는 거죠. 잘 듣는 것은 마음을 여는 첫 단추라고도 하죠. 귀 기울여 듣다 보면 나무도 시냇물도 새들도 말을 걸어온다고 합니다. 나와 다른 타인과 사물에 대한 깊은 이해가 생기는 거죠.

이때는 무심히 듣고만 있는 것보다 마음을 이해하며 들으려고 노력해보면 어떨까요. 소리 뒤에 있는 상대방의 마음을 읽을 수 있습니다. 다른 사람의 소리를 잘 들을 수 있어야 내면에서 들려주는 내 소리도 알아챌 수 있습니다.

다섯째, 대상을 두고 낭독하세요

내 앞에 사랑하는 사람이 있다고 상상하고 눈을 마주치며 낭독하는 거예요. 사랑하는 사람을 떠올리는 이유는 낭독에 미소와 생기 어린 목소리가 더해지기 때문입니다. 더욱이 눈을 마주치며 낭독하면 상대가 내 말을 잘 이해했는지 살피게 되고, 더 잘 이해하도록 진심을 담게 되죠. 무뚝뚝하고 생기 없는 낭독을 듣고 싶은 사람은 없을 겁니다. 사랑하는 마음으로 낭독해야 마음에 가닿을 수 있거든요.

우리는 누군가를 만나면 "안녕하세요."라고 인사합니다. 그런데 바로 내 앞에 있는 사람에게는 어떻게 말하게 되나요? 또 문밖에서 손을 흔드는 사람에게 말할 때는 어떨까요? 나에게 살짝 다가와서 귓속말로 말할 때는 또 어떻죠? 분명 소리의 강약이나 느낌이 다를 거예요.

이번엔 시선이 머무는 곳을 따라가 볼까요. "얘들아, 그 위에서 뭐 하니?" "자기야, 너무 붙지 말아 줄래?" 자신보다 위에 있는 아이들과 바로 옆에 있는 연인에게 말하고 있다는 걸 알 수 있어요. 이때 말하는 사람의 시선은 아이들을 보다가 자연스럽게 연인에게로 옮겨지겠죠. 상대를 바라보는 시선의 변화에 따라서도 문장을 전달하는 방법이 달라집니다.

이렇듯 거리감, 공간감만큼 상대가 있고 없음에 따라 소리의 탄성이 바뀝니다. 글의 성격에 따라서도 소리가 달라지지만 미소를 떠오르게 하는 사람을 앞에 놓아야 소리의 질감이 풍성해지는 것입니다.

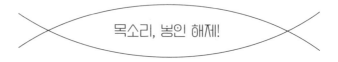

목소리, 봉인 해제!

낭독할 때 목소리는 어떻게 내야 할까요?

예전에는 좋은 목소리의 표준이 있었습니다. 은쟁반에 옥구슬 굴러가는 소리, 맑고 깨끗한 소리, 밝은 소리, 에너지 있는 소리, 신뢰감 주는 소리, 지적인 소리처럼 절대적 가치 기준에 부합하는 목소리가 좋은 목소리라고 생각했죠. 그런데 어느 순간부터 목소리의 스펙트럼이 넓어졌습니다. 개인의 개성과 취향이 존중되는 시대가 됐으니까요. 목소리에 대한 기준이 보다 다양해졌습니다. 취향이 달라옷 입는 스타일이 제각각인 것처럼 목소리의 선호도도 다양해진 거죠.

목소리는 내용을 담는 그릇이자 도구입니다. 좋은 목소리는 사람을 끌어당기는 매력이 분명 있습니다. 예쁜 그릇에 담긴 음식이 더할 나위 없이 좋은 것처럼요. 하지만 대화를 하면 할수록 매력이 넘치는 사람이 있듯, 평범한 듯 들리지만 계속 듣고 싶은 목소리가 있습니다. 목소리에도 좋은 인상이 있기 때문입니다.

그렇다면 좋은 인상을 주는 목소리는 어떻게 만들어야 할까요?

바로 정성 어린 마음에서부터 시작합니다. 너무 뻔한 말이라며 손사래를 칠지도 모르겠어요. 하지만 진리는 언제나 우리 가까이에 있지 않던가요. 글의 내용을 잘 전달하려는 마음을 가지고 듣는 사람을 배려하며 낭독해보세요. 그러면 내 안에 이미 가지고 있는 예쁜 목소리, 좋은 목소리가 살며시 나올 겁니다. 삶이 힘들어서 굴곡지면 목소리에도 날이 서요. 힘들고 짜증나면 소리가 날카로워지고 몸이 아프면 소리도 거칠어지죠. 목소리 음색만 가지고 좋다 나

쁘다 하는 시대는 지났습니다. 말투와 결을 다듬고 내 안에도 이미 존재하는 좋은 소리들을 알아봐 주고 꺼내어 사용하면 됩니다. 볼수록 매력 있는 인상처럼, 들을수록 정감 있는 소리가 되는 거지요. 마음속 거울을 들여다보며 삐죽거리고 날카로운 마음을 다듬으려고 노력해야 합니다. 그래야 고운 소리. 좋은 목소리가 나옵니다.

거울아, 거울아! 이 세상에서 누가 가장 좋은 목소리를 가지고 있니?
좋은 목소리를 이길 수 있는 건 좋은 마음을 가지고 말하는 것뿐입니다.

뜬구름 잡는 얘기 같다고요? 목소리는 사실 추상명사입니다. 목소리가 '뜬구름'인 거죠. 목소리 만드는 데 마음을 먼저 다잡아야 한다는 게 뜬구름일까요? 그렇습니다. 1+1도 아니고, 2큰술을 넣어야 하는 레시피도 아니니 뜬구름 잡는 거 맞지요.
"따뜻하지만 담담하게, 물 흐르듯 낭독해 주세요", "화사하면서도 차분하게 해 주세요", "카리스마 있지만 무겁지 않게 해 주세요", "너무 참기름 같다. 좀 소박하게요, 들기름처럼." 모두 녹음할 때 담당 PD들이 실제로 하는 말들입니다. 이 말들이 추상적으로 들리지 않나요? 하지만 추상적인 표현을 자신만의 비법으로 구체화 시켜 결과물을 만들어내야 합니다. 뜬구름 잡아 가슴에 안착시키는 일이죠.

그래서 낭독은 진짜 목소리를 발굴해내는 성장 독서법이기도 합니다. 자신의 목소리를 귀 기울여 듣는 일은 사실 흔치 않습니다. 자신의 목소리를 마주하면 스스로 검열하는 일이 제일 먼저 이루어지지요. 낯선 것은 때로는 불편합니다. 이것도 마음에 안 들고 저것도 아닌 것 같고 나만 못하는 것 같고요. 마음에 안 드는 면만 도드라지게 드러나 보입니다.

하지만 누구나 좋은 목소리, 까칠한 목소리처럼 다양한 소리를 가지고 있습니다. 그 중 낭독할 때 좋은 목소리를 꺼내어 사용하면 됩니다. 어떤 목소리를 꺼내어 쓰느냐는 나의 선택이에요. 저는 삶이 묻어나는 소리가 좋은 소리라고 생각합니다. 인류의 화두 중에 행복, 사랑 같은 단어는 너무

나 흔하지만 가장 근간이 되기도 하죠. 목소리도 마찬가지입니다. 목소리에 실린 삶의 흔적은 시간이 지날수록 아름다움으로 다가옵니다.

물론 그게 다는 아니지요. 목소리의 기본 요소인 호흡, 발성, 발음, 공명에 문제가 있을 때는 그 원인부터 보완하면 좋습니다. 하지만 지금은 취향의 시대. 완벽함보다는 정서적 공감이 더 중요해졌기에 누구나 자신만의 좋은 목소리를 찾아 낭독하면 되는 것입니다.

목소리가 좋아야 낭독할 수 있다는 생각보다는 나의 개성과 매력이 더해져 좋게 들리는 목소리를 만들기 위해 어떤 노력을 기울일까 생각해보세요. 좋은 목소리의 혜택은 분명 있지만 좋게 들리게 하는 마법도 분명 있습니다.

내 말 습관, 내 표현의 습관이 담긴 목소리를 다듬으면 소리에 담긴 성격이나 감정도 다듬을 수 있습니다. 원석을 보석으로 만드는 일이죠. 거칠고 뾰족한 부분을 갈고 다듬어야 아름다운 보석이 될 테니까요. 세공하는 시간을 즐겨보세요.

한 발 한 발, 낙엽 밟는 것처럼!

밤새 녹음실에서 혼자 낭독했다며 선배가 환하게 웃습니다. 보통 성우들은 녹음실 엔지니어와 함께하지, 혼자 녹음하고 편집하는 일이 그 당시는 흔치 않은 일이었습니다. "밤을 새서 혼자요? 피곤하지 않으세요?" 너무 놀라 묻는 내게 선배는 해맑은 목소리로 말합니다. "아니, 하나도 안 피곤해. 너무 행복하고 좋지." 그 후로도 여러 차례, 자기만의 시간으로 낭독을 즐기는 선배를 오래 지켜보았습니다. 일도 많고 바쁜 선배의 비생산적 행보가 의아했기 때문입니다. 소리 내어 읽는 일은 에너지가 많이 필요한 일입니다. 몇 권 읽다 말 줄 알았는데 꽤 오랫동안 선배는 지치지 않고 이어나갔습니다. 실천하는 낭독자의 모습이었죠.

그렇게 날이 갈수록 선배의 목소리가 달라지는 것을 발견했어요. 무엇이든 품을 수 있는 너그러운 소리로 변해가고 있었습니다. 결이 부드럽지만 더욱 단단해졌고요.

도대체 무엇이 저렇게 사람을 변하게 할까? 작은 부스

안, 선배는 책 속에서 자신을 만나고 성찰하는 시간을 가지고 있었습니다. 자신의 내면과 만나며 다듬어가는 과정이 쌓여 더 좋은 목소리가 만들어진 겁니다.

선배는 작은 공간에서 한 줄 한 줄 읽어 내려가는 시간은 고요하게 자신을 만나는 시간이라며 축복받은 시간이라고 했습니다. 어지러운 고민도 잠재우고 세상사 시끄러운 번뇌도 다 잊은 채 책에 집중하다 보면 나 홀로 앉은 공간에서 울려 퍼지는 목소리가 오히려 자신을 위로하고 감싸주어 참으로 행복한 시간이라고 힘주어 말합니다.

방대한 서적을 통해서 쌓여가는 내공과 꾸준한 삶의 지표가 선배를 성장시키고 있었습니다. 저는 삶의 질곡을 넘으며 다듬어진 소리를 좋아하는데요. 선배의 매력을 다시금 발견하게 되면서 깊이 있는 낭독에 대해 생각해보는 계기가 되었습니다. 그 선배가 바로 낭독연구소를 만들고 낭독을 널리 알리고 있는 서혜정 성우입니다.

목소리 연기자로 오랜 세월 방송 활동을 하면서 낭독은 언제나 일상이었습니다. 시각적으로 다가오는 모든 문자에

온 감각을 동원해 소리로 표현하는 것. 단어를 읊조리다 문장이 되고 문장이 소리 에너지로 변해 다시 말을 걸어오기까지, 가까운 일상 속에서 낭독은 늘 함께였습니다. 누워 있는 활자를 춤추게 한다는 신념으로 일을 했지만 어느덧 일상이 되어버린 낭독은 일 이상의 의미는 없었습니다. 화려한 미사여구로 장식된 글처럼 갖은 기교, 테크닉만으로 소리에 현란한 채색만 하면 되는 줄 알았던 시기였습니다. 그간의 낭독은 그저 가시적인 장식이었다는 반성이 일었습니다.

나를 흔들어 세운 낭독이 묻습니다. "낭독에서 중요한 것이 무엇이지?"

낭독은 한 발 한 발 낙엽 밟는 것과 같아요. 바스락거리는 낙엽의 속삭임에 귀 기울이는 것. 내가 내는 발자욱 소리에 집중하면서 걷는 것. 한 자 한 자 정성을 담아 소리 내어 읽는 일과 닮았습니다.

영화 더빙 작업을 하다 보면 시사할 때는 별 재미를 느끼지 못하다가 현장에서 더빙하면서 재미를 느끼는 경우가 있습니다. 몰입이 주는 즐거움 때문이지요. 책도 마찬가지

"꾸준히 낭독해보세요.
더디게 간다고 비교하며
걱정하지 마시고
자신만의 속도로
걸어가는 겁니다."

입니다. 그냥 눈으로만 봤을 때는 별로 와 닿지 않던 내용이 소리 내어 읽으면서 재미있어지는 경우가 많습니다. 눈으로 볼 때는 대충 주요 내용만 후루룩 읽고 넘어갈 때가 있지만 소리 내어 읽으면 가장자리까지 다 읽어내야 합니다. 안 보였던 것이 비로소 보이는 거지요. 그림이 선명하게 그려지면서요. 무엇이든 익어 가는 '숙성' 기간이 필요합니다. 그러니 조급해하지 마세요. 일단 승차했다면 잘 가고 있는 겁니다.

낭독을 잘하려면 절대적 숙성의 과정을 지나야 합니다. 책을 몇 권 낭독했다고 바로 좋아지지는 않아요. 오래도록 자신을 믿고 견디는 시간이 필요하지요. 낭독 수강생이나 성우 지망생이나 뚝심 있는 시간을 지나 목표를 이루는 사람들을 많이 목격합니다. 꾸준히 낭독해보세요. 더디게 간다고 비교하며 걱정하지 마시고 자신만의 속도로 걸어가는 겁니다. 쉬었다 가도 괜찮아요. 유레카를 외치는 깨달음의 시기는 저마다 다르지만 꾸준함을 이기는 건 없습니다.

인생 이야기가 담긴 휴먼다큐 내레이션을 맡거나 감동적인 글을 만나면 울컥 목이 메는 지점이 있습니다. 그러다 보면 목이 잠겨서 매끈하지 않은 소리가 나오기도 하지요 그런데 저는 다시 녹음하지 않아요. 그 마음의 울림을 듣는 사람도 느낄 수 있도록 그냥 내버려둡니다. 예전에는 무조건 다시 녹음했죠. 매끄러운 소리가 나와야 한다고 생각했으니까요. 하지만 이제는 자연스러운 진동을 즐깁니다. 벌레 먹은 사과처럼 울퉁불퉁한 소리가 나와도 그냥 내보냅니다. 듣는 사람들도 뭐라고 하지 않지요. 내가 느꼈던 감정의 진동을 같이 느끼니까요.

처음 낭독을 시작하는 사람이라면 쉽고 관심 있는 분야의 책을 추천합니다. 그리고 진동을 느끼며 낭독해보세요. 모든 일에는 시동을 거는 작업이 우선입니다. 낭독도 시동을 걸고 물꼬가 트여야 재미도 느낄 수 있는 거죠.

1. 영원한 고전, 성경

성경 낭독은 한 번쯤 생각해보게 되죠. 인류의 고전을 제대로 읽어보기 위해서도 필요한 일이고요. 성경에는 길고 어려운 이름이나 낯선 지명이 많이 나옵니다. 그렇기 때문에 발음 연습이나 끊어 읽기가 많이 훈련돼 있어야 합니다. 숙련된 낭독을 위한 도구로서도 훌륭한 텍스트라는 뜻이죠. 그러나 이 책을 꾸준하게 소리 내어 읽기란 사실 쉽지 않습니다. 분량이 많아 자꾸 눈으로 읽게 되지요. 읽다 보면 처음 마음먹은 것과 달리 늘어진 고무줄처럼 긴장감이 사라지기 마련입니다.

'성경 오디오북'을 만드는 프로젝트에 참여한 적이 있습니다. 구석구석 전체를 읽어보게 되는 행운을 갖게 된 거죠. 그런데 중간 부분까지 녹음하다 갑자기 큰 수술을 하게 되었습니다.

"인생의 전환점이라고 생각되는 순간을 맞는다면 그건 뭔가를 얻었을 때가 아니라 잃었을 때일 것이다." 알베르 까뮈가 한 말입니다. 마치 그 말처럼 수술 전과 후, 낭독을 하는 데 생긴 차이가 낭독의 전환점을 맞이하게 해주었습니다.

건강할 때는 성경을 그저 잘 읽으려고만 했습니다. 어렵고 난해한 부분일수록 쉽고 편하게 들리게끔 잘 낭독하겠다는 생각뿐이었습니다. 그런데 갑작스럽게 수술을 하게 되고 다시 마주한 성경은 달리 보였습니다. 흡사 사랑하는 이에게 바치는 편지 같았죠. 신께 감사 편지를 낭독하듯 결이 많이 달라졌습니다. 한 문장 한 문장이 어쩜 그리도 소중한지요.

성경책은 소리 내어 읽기에 좋은 교재입니다. 낯선 단어와 익숙지 않은 발음에 적응해가면서 점점 유창해지는 낭독 실력을 느껴보세요. 종교인이 아니어도 좋습니다. 성경은 모두에게 약이 될 수 있으니까요.

2. 배철현의 인문 에세이

배철현 교수의 인문 에세이 4권은 소리 내어 읽고 또 읽는 책입니다. 더 높은 차원으로 삶을 이끌어 주기 때문이에요.

삶의 군더더기를 버리는 시간『수련』

나를 깨우는 짧고 깊은 생각『심연』

나를 변화시키는 조용한 기적『정적』

오래된 나를 버리는 시간『승화』

제가 좋아하는 단어 중 하나가 '승화'입니다. 사전적으로는 '어떤 현상이 더 높은 상태로 발전하는 일'이라는 뜻인데요, 배철현 교수는 '승화'를 이렇게 말합니다.

"승화는 아무런 유혹도 시련도 없는 완성된 상태가 아니다. 이전에는 보이지 않던 더 높은 차원의 정상이 있다는 것을 발견한 후 얻게 되는 겸허한 마음이다. 마치 동네 야산의 정상에 오른 사람이 그 산보다 높은 산의 존재가 있다는 것을 알고 다시 도전을 준비하는 것과 같다. 그리고 그 산을 정복한 뒤에도 더 높은 산이 있다는 사실을 깨닫고 겸손한 마음을 지니게 되는 것과 같다. 승화는 어제와 달라질 오늘의 자기 자신에 대한 신뢰이자 지속적으로 자신을 혁신하려는 용기 있는 도전이다."

배철현 교수의 문장은 짧고 간결합니다. 그렇지만 깊은

생각으로 자꾸만 쉬어가며 읽게 하죠. "자신은 흠모할 수 있는 자신으로 살고 있는가?", "나는 내가 원하는 만큼 변화했는가?"라는 질문에 한참을 망설이게 합니다.

이 책을 읽는 동안에는 가만히 벤치에 앉아 하늘을 응시하다 눈을 감고 조금 전 읽었던 소리를 떠올려봅니다. 머무르는 시간이 있어 더디게 읽게 되는 책들, 산책하듯 천천히 곱씹으며 읽어보세요.

3. 동화책

카세트테이프에서 CD, 디지털로 전환되기까지 무수히 많은 동화책을 낭독했어요. 한국 전래동화, 세계 명작 동화, 창작 동화, 과학 동화 전집을 밤새 녹음하기도 했지요. 그런데 이상하게도 제 아이들은 스피커에서 나오는 엄마 목소리를 듣지 않았어요. 무릎 베개를 해 주고, 아니면 나란히 누워서 생생하게 읽고 또 읽어줘야 잠을 잤지요. 그 중 <인어공주>는 절정에 달했답니다. 인어공주가 물거품이 되는 장면은 아이와 부둥켜안고 늘 우는 대목이었어요. 아이들에게 이야기를 들려줄 때의 감정을 생각해 보세요. 권선징악과 희로애락이 담긴 내용을 읽어주다 보면 저절로 주인공이 되어 의협심과 정의가 살아나지요. 익히 알고 있는 내용이지만 열 번, 백 번 다시 읽어도 재미있습니다. 화자의 감정에 몰입했기 때문입니다.

어릴 적 읽었던 동화를 소리 내어 다시 읽어보세요. 『어린왕자』나 『꽃들에게 희망을』, 『아낌없이 주는 나무』를 성인이 되어 다시 낭독해보면 '아는 것'을 넘어 '깊은 공감'으로 전이되는 과정이 무엇인지 알 수 있을 거예요. 밤새워 읽었던 로맨스나 무협지로 향수를 불러일으키는 것도 좋고요. 좋아하는 장르 하나만 파거나, 어느 작가의 작품을 시리즈로 찾아 읽는 재미도 즐겨보세요. 이 한 권이 끝나가는 게 못내 아쉽지만, 또 다음 책을 빨리 만나고 싶은 조바심마저 들 겁니다.

낭독은 내 안의 어린아이도, 못다 핀 꿈을 아쉬워하는 청년 시절의 나도 보듬어 볼 수 있습니다. 현재의 나와 미래의 나까지 모두 만나볼 수 있지요.

소리 내어 읽으면 더 좋은 책이란, 마음에 와닿는 글과의 인연이 만들어내기도 하고 적당한 때가 무르익어야 만날 수도 있습니다. 하지만 어떤 글이든 잘 소화해서 녹여내려 하면 마음에 주단을 깔듯 좋은 뜻이 되어 찾아오기도 합니다.

나를 이루고 만든
'나를 믿어주는 힘'

저는 '잘하는 사람'은 왜 잘하는지, 무엇이 그들의 힘일지 항상 궁금해했어요. 그래서 꼭 물어보거나 관찰했지요. 그러면서 나에게는 어떻게 적용해야 할까도 생각해보고요. 어제보다 더 나은 오늘을 살아내기 위해서 노력했던 겁니다. '그래, 아직 부족하니까 한 페이지라도 더 읽어야겠다.', '영화 한 편이라도 꼭 보고 자야겠다.' 이렇게 나름대로 계획을 세우고 계속 도전했습니다.

저는 누가 뭐라 해도 나 자신을 믿고 응원합니다. 지금 당장 못하는 게 있으면 인정하고, 다음에는 더 잘 해내려고 노력하지요. 자기 확신, 내가 나를 믿어주는 힘이 삶에 있어서 늘 동력이 됩니다.

어느 날, 스스로 한계를 느끼기 시작했습니다. 주변에서 거는 기대가 버거운 거예요. 데뷔한 이후로 쭉 바쁘게만 사느라 미처 몰랐던 게 있던 거죠. 그래서 캐나다로 훌쩍 어학연수를 떠났습니다. 주변 사람들은 모두 반대했지만 지금이 아니면 못할 것 같았으니까요.

캐나다에서 다닌 목소리 연기학원은 자신의 목소리를 찾기 위해 이완하는 방법을 가르칩니다. 몸이 이완되고 정신이 이완되어야 소리가 잘 나온다는 거지요. 힘을 줘야 소리가 나는 줄 알았는데 힘을 뺀다는 것이 무엇인지 그때 알았습니다. 열심히만 달리는 게 능사가 아니라는 사실도 깨달았고요. 힘을 뺀 목소리의 유연함이 사람과의 경계까지 허문다는 것을요.

한국에 다시 들어왔을 때는 IMF 때였습니다. 그런데 이상하게 하나도 불안하지 않았어요. 오히려 자신감이 생겼죠. 남들과 다른 템포로, 조금 늦게 가도 괜찮을 것 같았습니다.

온 감각을 펼쳐 살다 보면 깨닫게 되는 점들이 있어요. 그 점들이 모여 다시 원을 이루고요. 꾸미지 않고 편안하게 내는 소리의 자유로움이 낭독의 자유를 선사하듯, 내 소리에 집중할수록 누군가와의 비교가 아닌 유일무이한 존재로서의 나를 더욱 사랑하게 됩니다.

최근에는 테니스를 배우기 시작했어요. 남들은 관절 생각하며 그만둘 나이에 새로 시작한다며 걱정 어린 소리로 나무랐지요. 역동적인 운동은 젊을 때나 하는 거라면서, 잘 치려면 다음 생에나 가능하다고 합니다. 10년은 열심히 해야 겨우 공 좀 친다는 정도라며 너무 늦게 시작했다고들 말하지요. 하지만 저는 아랑곳하지 않습니다. 언제 시작했냐는 중요하지 않아요. 어떻게 하느냐가 중요하고 남들이 뭐라든 제가 즐기면 그만이니까요.

낭독도 마찬가지입니다. 너무 늦은 나이란 없습니다. 늦었다 생각하고 행동하지 않는 것이 진짜 늦은 거지요. 낭독을 잘하는 비법 중의 하나는 '꾸준히 즐기는 것'이라고 늘 말합니다.

살면서 스스로 경험하고 깨우치는 것들이 진짜 내 것이지요. 선행자들이 아무리 강력하게 아우성쳐도 흘려들으면

"언제 시작했냐는
중요하지 않아요.
어떻게 하느냐가 중요하고
남들이 뭐라든 제가 즐기면
그만이니까요."

그만입니다. 비교하지 말고 나의 속도로 걸어가세요.

'빨리 잊어라.' 제 머릿속 진리입니다. 누구에게나 좌절하는 순간이 생기죠. 슬럼프가 올 수도 있고요. 그럴 때는 자학하면서 괴로워집니다. 그런데 이제부터는 빨리 잊어버리려고 노력해보세요. 한 번 더 잘해보자고 생각하고 빨리 나머지 감정은 잊어버리는 거예요. 저는 그럴 때 좋아하는 일을 해요. 책 한 권 들고 한강으로 나갑니다. 아름다운 경관을 마주하는 지점에 자리를 잡고 커피 한잔, 그리고 좋은 글을 낭독하다 보면 어느새 감사하는 마음으로 바뀌어 있죠. 우울한 감정을 오래 간직하지 않아요. 그래야 다음을 살아갈 에너지도 생기고요.

어렸을 때는 실수를 하면 벗어나기 어려웠던 시간이 있었어요. 하지만 괴로워하는 게 하나도 도움이 되지 않는다는 걸 깨달은 거죠. 자존감만 떨어지고요. 그래서 그때부터는 마음을 바꾸었습니다. 내가 바꿀 수 있는 건 관점과 태도니까요. 부정적인 감정이 들면 잠시 멈추고 오히려 좋아하는 것을 해요. '지금은 난 못해. 인정해. 못하는 걸 잘한다고 착각하진 않아. 그런데 1년 후에는, 10년 후에는 잘하게 될 거야.' 그러다 보니 정말로 점점 잘하게 됐어요. 좌절만 하지 않고 꾸준히 나를 믿고 행진했으니까요.

처음부터 100퍼센트 완벽하게 잘하려고 애쓰지 않아도 됩니다. 한계가 느껴졌을 때, 단계적으로 계획해서 실천해 보세요. 욕심을 버리고 지금보다 5퍼센트만 더, 10퍼센트만 더 잘하자고 하는 거예요. 결국에는 100퍼센트 잘하게 될 거예요.

낭독은 결과가 아니라 과정이에요. 계속 성장해가는 과정이지요. 새로운 걸 경험하고 나면 새로운 나를 느낄 수 있습니다. 어제와 다른 오늘을 살고 있으니까요. 낭독이라는 멋진 친구와 매일매일 성장하는 사람이 되어보세요.

살면서 늘 뭔가를 느끼고 좋은 것을 발견하려고 하면 온 감각이 열립니다. 그리고 그 열린 감각은 좋은 영감으로 우리를 이끌어주죠. 소리 내어 나를 깨우는 시간은 온 감각을 열어 아름다운 문장, 벅찬 감동의 문장들이 친구가 되어 찾아 오는 시간입니다. 문을 활짝 열고 친구를 반겨 주면 어떨까요?

낭독이라는 친구가 있어 외롭지 않습니다.

몰입을 부르는 낭독

1996년 MBC 성우로 입사했다. 목소리로 가늘고 길게 일하며 소소한 행복 속에 살기를 꿈꾼다. 그래서 나뿐 아니라 타인에게도 울림을 전할 수 있다면 참 좋은 삶이 될 거라 생각한다. 서강대 언론대학원에서 미디어 교육을 전공하였고, EBS <명의>, <길 위의 인생>과 영화 <닥터 스트레인지>, CF등 부드럽고 온기 있는 목소리로 활동하고 있다. 부족한 나를 다독이며 느리게, 재미도 찾아가면서 살고 있다.

호흡에는 리듬이 있다

문자보다는 이야기의 힘이 셌던 먼 옛날에 호메로스라는 사람이 있었습니다.

그리스 전역을 떠돌며 노래하는 눈먼 가객. 그는 영웅담을 전하는 이야기꾼이자 사상가였습니다. 훗날 호메로스의 『일리아드』는 총 24권에 1만 5천 행이나 되는 긴 서사시로 엮였는데, 어떻게 이 긴 내용을 말로 다 풀어낼 수 있었을까요?

호메로스는 이야기를 아주 실감나게 구연했다고 합니

다. 게다가 그의 스토리텔링에는 공식이 있었지요. 리듬, 반복, 운율, 전형적인 표현처럼 '누구나 바로 떠올릴 수 있는' 패턴을 적용한 것이었습니다.

일정한 패턴은 긴 글을 외우기에도 좋고 청중을 집중시키기에도 좋았을 것입니다. 높은 집중감 속에서 흘러나온 이야기는 귀를 자극할 뿐 아니라 보고, 냄새 맡게 하고, 때론 촉감까지 느끼게 합니다. 오감을 자극한다는 얘기입니다.

저는 반복되는 말과 리듬이 우리를 마치 소용돌이처럼 몰입으로 이끈다고 믿습니다. 불교의 '나무아미타불'이나 개신교의 방언, 천주교의 성모송은 반복을 통해 접신의 경지로 안내합니다. 심지어 영화 <여고괴담>에서도 '분신사바'를 반복하며 귀신을 부르지 않았던가요. 우리가 인식하든, 그렇지 못하든 우리의 말투에도 일정한 리듬이 존재합니다.

숨을 더 뱉어봐요/
당신의 안에 남은 게 없다고/
느껴질 때/까지/
숨이 벅차/ 올라도 괜찮/아요/

아무도 그/대 탓하지/ 않아

— 이하이, <한숨>

이 기묘한 끊어 읽기를 보면 어떤 느낌이 드나요? 이렇게 말하거나 낭송한다면 도무지 화자가 무슨 말을 하려는 것인지 이해할 수 없을 것입니다. 그러나 악보에 이 노랫말을 얹어 노래로 부르면 어떨까요? 리듬을 타고 노랫말이 더 잘 기억되겠죠? 이번에는 같은 노랫말을 시로 끊어 읽어보겠습니다.

숨을 더 뱉어봐요/
당신의 안에 남은 게/
없다고 느껴질 때까지/
숨이 벅차올라도 괜찮아요/
아무도 그대/ 탓하지 않아

비교적 단순하고 규칙적인 리듬을 발견할 수 있습니다. 말의 리듬은 호흡과 직결되기 때문입니다.

어떤 분은 '말이 되게 끊는 게 당연하지 않냐'고 되물을지 모르겠습니다. 지당하신 말씀입니다. 그런데 때로는 이런 당연한 것이 잘 이루어지지 않을 때가 있습니다. 글을 말로 옮길 때가 그렇습니다. 호흡과 함께 시작된 이야기는 호흡이 끝날 때 마무리되며 그 과정에서 리듬을 탑니다. 말은 규칙적인 들숨과 날숨을 통해 나오니까 말이에요. 한 호흡 안에는 내가 전하려는 메시지의 모둠이 있고, 여러 호흡이 모여 메시지는 틀을 갖춥니다. 그 과정에서 생긴 리듬이 몰입을 불러오고, 깊은 몰입이 오감을 건드릴 때 듣는 이의 마음이 비로소 움직이는 것이죠. 저는 이 과정을 '울림'이라고 정의하고 싶습니다.

낭독의 리듬

어렸을 적, 어느 국어 시간을 떠올려봅니다. 선생님이 '15번, 32쪽 셋째 줄부터 읽어봐.'하고 시키면 우린 어떻게 읽었나요? 대체로 두 음절마다 끊었을 겁니다. 게다가 모두

"깊은 몰입이 오감을 건드릴 때
듣는 이의 마음이 비로소
움직이는 것이죠."

숫한 리듬을 탔죠.

'개미들은 협동을 잘합니다. 먹이들을 집으로 나를 때에 힘을 모읍니다.' 이 귀여운 문장은 초등학교 3학년 국어 교과서의 일부입니다. 어린이들은 대부분 이렇게 끊어 읽을 거예요.

개미들은 협동을 /잘합니다 /먹이들을 집으로 /나를때에 /힘 을 모읍니다/

오선지에 옮겨보았더니 한눈에도 단순한 리듬입니다. 아이들 호흡이 짧으니 자주 끊어읽는 건 자연스러운 현상이죠. 이런 리듬은 어린이가 읽는 훈련을 할 때 좋은 방법이 될 수 있습니다. 문제는 이런 단순한 리듬을 청소년기가 훨씬 지난 다음에도 놓지 못한다는 데 있습니다. 이 리듬으로 소설이나 에세이, 자기계발서를 읽는다면 어떻게 들릴까요? 마치 어른 몸으로 아이 옷을 입은 것 같지 않을까요?

알듯 말듯한 '리듬'에 대해 좀 더 이야기해보려고 합니다. 리듬은 유연해야 합니다. 유연함이란 자연스러운 호흡, 편안한 발성과 깊은 관련이 있습니다. 이렇게 한번 해보죠.

편안하게 숨을 쉬다가 "음~" 하고 긴 허밍을 해보세요. 소리가 호흡에 실려서 함께 빠져나가는 것이 느껴집니다.

다음, "숨", "쉰다" 하고 말해보면 메시지가 생겨납니다.

이제 드디어 긴 문장을 말하면 구체적인 내용을 전달할 수 있는데, 그 과정에서 호흡이 이어지고 멈추기를 반복할 거예요. "숨을 들이마시고 내쉽니다" 정도는 한 호흡에 가능하겠지만, "말할 때처럼 숨을 들이마시고 내쉬는 리듬에 맞추어 스스럼없이 낭독하면 자연스러운 흐름으로 이어져 읽기에도 듣기에도 편안한 낭독이 이루어질 거예요."라고 말한다면 어디선가 말을 끊고 숨을 쉬어야 하겠지요. 이러니 호흡과 리듬을 떼어 말하는 건 불가능합니다. 호흡과 리듬은 한 몸이에요.

내 머릿속 생각은 입을 거쳐 말이 되어 나올 때 호흡에 잘 버무려져서 자연스럽게 리듬을 탑니다. 미디어 학자 월터 옹은 "모든 음성, 특히 직접 말하는 이야기는 유기체 안에서 생겨나기 때문에 역동적이다"라고 했습니다.

그런데 이 말이 나의 말이 아닌 '다른 사람이 쓴 글'이라면 자연스러움이 방해를 받습니다. 타인의 글을 내 뇌에서 말로 바꾼 뒤 다시 입으로 보내어 자연스러운 호흡을 유도해야 하기 때문이지요. 앞에서 말한 '역동성'을 가지려면 글을 읽는 게 아니라 글을 말해야 합니다. 그러므로 내가 읽어야 할 글이 글밥이 많은 책이라면 눈이 입에 앞서 다가올 내용을 파악하는 기술이 필요합니다.

기술을 익힌다고 해도 글은 작가의 개성에 따라 나오는 다른 호흡으로 이루어져 있으니 꼭 내가 말하는 것처럼 '역동적'으로 읽기란 어렵지요.

그럼 어떻게 읽어요?

이런 리드미컬한 말하기 방식의 중요성은 문자를 많이 대하는 현재에도 여전히 유효합니다. 좋은 산문은 음악적입니다. 저는 작가들이 책을 내기 전에 자신의 원고를 입말로 읽어보며 퇴고한다는 이야기를 자주 들었습니다. 읽었을 때 자연스럽지 않은 문장은 좋은 문장이라고 볼 수 없습니다. 묵독을 즐기는 독자일지라도 글의 리듬감은 잘 읽기 위한 선행조건입니다.

성우로 오래 활동해 왔지만 아직도 입에 붙지 않는 문장을 대할 때가 있습니다. 작가의 손을 거치지 않고 의뢰인이 직접 원고를 쓸 때 종종 벌어지는 일인데요, 이럴 때 참 난감합니다. 의뢰인으로서는 비용을 들여서 하는 홍보이니만큼 그에 걸맞는 많은 정보를 써넣고 싶었을 겁니다. 그러나 꼬리에 꼬리를 무는 미사여구나 어법에 맞지 않는 문장까지는 돌보지 못하는 경우가 많습니다. 이럴 때는 글을 수정하는 시간이 녹음 시간보다 더 길어지기도 하죠. 입말을 염두하지 않은 이런 글들은 듣는 사람 귀에도 꽂히지 않습니다.

그럼, 리드미컬하게 글을 읽으려면 어떻게 해야 할까요? 일단, 어디에서 쉬어줘야 하는지 알아야 합니다. 그러려면 글의 맥락을 파악하는 것이 중요합니다. 국어 시간에 배운 문단 나누기가 꽤 쓸만하지요. 문단 끝에 '∥'표시를 해 한 주제가 끝났음을 알립니다. 이 표시는 새 문단을 읽을 때는 지난 호흡은 버리고 새 호흡으로 읽을 거라는 의미이기도 합니다.

다음에는, 문단마다의 분위기를 파악합니다. 첫 문단은

전체 글을 여는 역할이니 설렘이 있어야 해요. 끝 문단은 글을 마무리하는 부분이니 여운이 남아야 하고요. 본문은 기본적으로 안정감이 있어야 합니다. 가볍게 소리내어 초독을 해보고, 분위기가 갑자기 변하는 부분을 발견하면 글로 써두기도 합니다. '긴장감', 혹은 '슬프게' 하는 식으로요. 또는 화살표를 위, 아래로 표시하는 방법도 있습니다. 낭독 흐름에 지장을 주지 않으면서 감정을 넣을 수 있는 나만의 방법이라면 무엇이든 좋습니다.

분위기를 파악했다면 작가의 호흡에 내 낭독의 호흡을 맞춥니다. 속으로 읽는 호흡과 발성하는 호흡은 다르거든요. 그러니 꼭 실제로 소리 내어 읽어야 해요. 같은 사람이라도 컨디션에 따라 그날의 호흡이 달라질 수 있습니다. 단어가 어려우면 리듬감이 떨어지므로 충분한 초독이 필요하고, 내용이 슬프다면 호흡이 지나치게 느려지거나 떨어지지 않는지 주의하며 읽습니다.

이 모든 과정을 첫술에 배 불리듯 할 수는 없습니다. 글을 말로 옮기는 일은 몸의 근육이 기억해야 하는지라 시간과 노력이 필요하기 때문이죠. 하지만 꾹 참고 인내하지는 않았으면 좋겠습니다. 저는 이 시기를 즐기기를 권합니다. 낭독이 뭐라고 전쟁 치르듯 읽을 일인가요. 그런 낭독은 오래 듣기도 부담스럽죠. 서툴러도 즐기는 낭독이 듣는 사람도 미소 짓게 합니다.

이 과정에 익숙해지면 조금씩 그럴듯한 낭독자가 됩니다. 그러다 글의 호흡과 내 호흡이 맞아떨어지는 순간, 몰입이 시작됩니다. 낭독자도 청자도 편안한 리듬에 녹아들어 집중하게 될 거예요. 여기에 글에 맞는 목소리 톤과 감정이 덧입혀지면 한결 울림 있는 메시지를 전달할 수 있습니다.

맹목적인 리듬의 함정

'저 사람은 말투에 쪼가 있어', '낭독에 쪼가 붙으면 안돼!' 같은 표현을 들어본 적이 있나요? 여기에서 '쪼'란 바꾸기 힘든 습관, 같은 리듬과 높낮이가 반복되는 패턴 정도로 해석할 수 있습니다. 신기하게도 낭독을 전혀 해보지 않은 분에겐 이런 '쪼'가 없습니다. 오히려 연습을 많이 한 분들에게 일어나는 현상이죠. 낭독이 어느 정도 익숙해지고, 나만의 리듬감이 생겨나면 머릿속으로 딴생각을 하면서도 입만 움직여 낭독할 수 있거든요. 이때 '쪼'가 등장하면 좋은 낭독에 노란불이 켜집니다. 글의 해석을 게을리하는 데서 오는 일종의 매너리즘으로 고치기도 어렵습니다.

반복적인 리듬을 타고 몰입하면 나도 모르게 문장에 가속도가 붙습니다. 모든 문장을 같은 리듬에 실어 읽을 수 있고, 한 문장을 한 호흡에 읽어내리는 것도 가능합니다. 낭독자가 자신의 목소리에 심취해 낭독의 소용돌이로 빠져드는 동안 독자는 그 세계에서 튕겨져 나와 '방금 뭐가 지나갔어?'라고 느끼는 상태가 되기도 합니다. 독주는 금물입니다.

그러니 우리는 어디를 강조할지, 핵심어를 어떻게 전달할지를 항상 고민해야 하죠.

예문을 하나 준비했습니다. 림태주 시인의 <그리움의 문장들> 중에서 발췌했는데요. '인내심과 유연성이 썰물처럼 빠져나가는 유혹당한 몸의 특성'이라는 구절입니다.

 ≪ 인내심과 유연성이/썰물처럼 빠져나가는/유혹당한 몸의

특성

의미 단위이기는 하지만, 이렇게 여러 번 끊어 읽으면 집중력을 해치게 됩니다.

'인내심과 유연성이 썰물처럼 빠져나가는 유혹당한 몸의 특성'

한 호흡으로 읽으면 속도도 너무 빠르고, 무엇보다 핵심어가 강조되지 않아 무엇을 이야기하려고 하는지 모호합니다.

'인내심과 유연성이/썰물처럼 빠져나가는 유혹당한 몸의 특성'

잠시 멈춰서 쉬면^{pause} 바로 뒤의 단어가 강조됩니다. 여기에서는 '썰물'을 강조했군요. 그러나 그 바람에 진짜 핵심어인 '유혹당한 몸'이 잘 들리지 않습니다. 낭독자는 작가가 의도한 핵심어를 반영해야 합니다. 만약 작가의 의도를 알아채

"낭독을 모두 마친 후,
'눈으로 보는 것보다
귀로 듣는 책이 더 감동적이었어.'
라는 찬사를 듣게 된다면
참 행복하겠지요."

기 어렵다면 한 번씩 돌아가며 읽어보세요. 처음에는 '인내심과 유연성이'를 강조해 보기도 하고, '썰물처럼 빠져나가는'을 강조해 보기도 하고… 이렇게 몇 번 하다 보면 느낌이 맞아떨어지는 지점이 있습니다.

'인내심과 유연성이 썰물처럼 빠져나가는/유혹당한 몸의 특성'

이라고 읽으면 적절합니다. 핵심어인 '유혹당한 몸'을 강조했고, 그 앞의 수식어는 리듬감을 살렸습니다.

낭독에서의 해석은 오디오 드라마처럼 적극적일 필요는 없습니다. 그렇지만 작가가 원하는 것을 고스란히 전달하려면 그의 의중을 파악할 수 있어야겠죠. 작가가 이야기하고자 하는 내용을 독자도 함께 느낄 수 있도록 길을 만드는 것이 낭독자의 역할이니까요. 이런 해석 능력은 정독이나 다독으로 키워지기도 합니다. 낭독을 모두 마친 후, '눈으로 보는 것보다 귀로 듣는 책이 더 감동적이었어.'라는 찬사를 듣게 된다면 참 행복하겠지요.

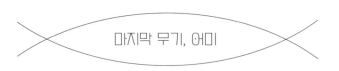

마지막 무기, 어미

누구에게나 초보 시절은 있기 마련입니다. 프리랜서가 되기 전, 그러니까 방송사의 전속 성우였을 때 저는 내레이션 기회를 얻고 굉장히 들떠있었어요. 신인 성우가 내레이션 기회를 얻기란 쉽지 않았는데 기다리던 때가 일찍 찾아왔다고 생각했으니까요. 발칙하게도 녹음실 스태프들이 감탄하는 모습을 상상하기도 했답니다. 하지만 무슨 이야기가 이어질지 예상되시죠? 현실은 당연히 상상과는 정반대였습니다.

녹음 담당 엔지니어 부장님 표정이 좋지 않았어요. 저는 잘 읽은 것 같은데, 한 문장을 넘어가기 무섭게 녹음을 끊고 자꾸 다시 하잡니다. 뭔가 단단히 잘못됐다는 느낌이 등골을 서늘하게 했어요. 기대에 부풀었던 얼굴은 벌겋게 달아올랐죠.

입소리가 난다거나, 마이크 위치가 잘못되었다거나 하는 단순한 문제가 아니어서 더 당황스러웠습니다. 문제는 발성이었습니다. 조정실 화면의 음파를 보니 어두에만 파형이 높게 뜨고, 상대적으로 어미는 파형이 너무 작았습니다. 힘 조절이 안됐던 것이었죠. '이렇게 읽으면 성우가 무슨 말을 하는지 도무지 들리질 않아!'라며 부장님은 난감해하셨습니다.

너무 부끄럽고 죄송했어요. 하지만 돌이켜보면 진짜 실력을 알게 된 시간이었습니다. 발성과 녹음 경험이 부족했던 당시의 저는 소리 안배에 미숙했던 거죠. 처음에는 힘이 들어가서 강하지만, 계속 그 힘을 유지할 수는 없으니 점점 약해지는 용두사미 꼴의 내레이션이었습니다.

시작은 화려하지만 끝이 미미해서는 안 될 일이죠. 복식 호흡을 한다, 발성을 잘한다는 말의 의미는 소리의 힘이 균일하다는 말과도 같습니다. 낭독의 시작과 끝은 같은 힘으로 유지해야 하는 것을 그때는 몰랐어요.

'평창 송어축제' 광고라면 80%의 힘과 '솔'음으로,

명상을 위해서는 30%의 힘과 '도' 음으로 더 느리게,
북 내레이터라면 50%의 힘과 '미' 음으로 하면 좋겠지요.
'솔'에서 시작한 글은 '솔'에서 끝내고, '도'에서 시작했다
면 '도'로 끝냅니다.

어미에서 힘을 빼고 한 톤 낮춰야 자연스러울까요? 오해입
니다. 어미의 역할은 생각보다 크거든요. 내가 읽어야 할 글
의 장르에 따라 어미 처리가 달라지고, 같은 장르라도 작가
의 문체에 따라 또 달라질 수 있습니다. 종결 어미를 어두보
다 강하게 읽으면 단호함을 어필할 수 있고, 짧게 끊으면 이
성적이고 명쾌하게 들립니다. 길게 늘이면 따뜻하고 느슨
한 느낌이 들고요. 그러니 어미에는 문장의 분위기가 모두
녹아있다고 해도 과언이 아닙니다.

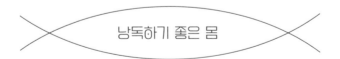

낭독하기 좋은 몸

우리 몸은 말을 담는 그릇이기에 발화에 직접적인 영향을

미칩니다. 하지만 신체조건이 저마다 다르듯이 소리를 낼 때 유리한 면과 불리한 면도 제각각입니다. 그래서 어떤 사람은 큰 소리를 내기가 어렵고, 어떤 사람은 낮은 톤이 어렵고, 또 누군가는 장시간 낭독이 어려울 수도 있습니다.

그러니 단점을 채워가며 소리의 흐름을 개선해간다면 소리길도 넓고 반듯하게 닦이겠지요. 꼬불꼬불 골목길보다 고속도로처럼 뻥 뚫린 길에서 아름다운 소리가 나옵니다. 다행히 낭독하기 좋은 몸 상태는 어렵지 않게 만들 수 있어요.

먼저, 건강하고 편안한 몸입니다. 어딘가 불편한 곳이 있다면 주변 근육이 굳어버리고 몸통에 힘을 모으기 어려워요. 어깨가 구부정하거나, 말할 때 고개를 숙이거나 다리를 꼬면 소리길이 꺾입니다. 발성은 공기의 흐름이거든요. 그래서 저는 낭독이나 녹음을 할 때 독서대를 이용합니다. 책을 눈높이에 맞추면 어깨와 허리가 펴집니다. 호흡은 단전(복식호흡)과 폐(흉식호흡)로 하는데, 만약 책을 바닥에 놓은 채로 낭독한다면 고개가 꺾이고 성대에 무리가 가서 소리가 기어들어 갈 거예요.

두 번째는 유연한 몸입니다. 긴장과 이완이 자유로울

때 비로소 미세한 감정표현과 호흡이 가능해집니다. 요가처럼 호흡의 움직임을 느낄 수 있는 운동도 도움이 됩니다.

그렇다고 몸을 펴기 위해 힘을 줘서 가슴을 젖히면 근육이 경직되어 소리가 다시 몸 안에 갇힙니다. 뻣뻣한 몸은 적절한 감성을 표현하기 어려워요. 이렇게 해볼까요? 천장을 향해 몸을 활짝 펴되 어깨와 팔에는 힘을 뺍니다. 들숨과 날숨을 몇 번 크게 반복해서 좀 더 편안한 상태를 찾아갑니다. 이것만 잘 기억해도 기본은 갖춘 셈입니다.

사실 '말하기'는 꽤 많은 에너지를 씁니다. 한 시간에 200kcal라고 하니 걷기 운동과 비슷한 정도입니다. 수다로도 금세 배가 고파지는 걸 보면 알 수 있죠.

몸 안에 에너지가 충분하지 않다면 좋은 소리가 나오기 어렵습니다. 밥을 먹지 않고 낭독을 했을 때 성량이 줄어드는 것은 녹음실의 오디오 출력과 파형이 바로 말해줍니다. 성량뿐인가요, 호흡도 짧아집니다. 호흡이 짧아지면 감정을 실을 수 없고, 감정이 실리지 않으면 감동을 줄 수 없는 비극이 일어나지요.

밥 먹은 직후에 하는 낭독은 어떨까요? 역시 추천하지

않습니다. 모든 장기의 활동이 소화에 집중되기 때문에 몸이 노곤해집니다. 에너지를 끌어올리지 못하니 답답한 느낌도 들고요. 끈적한 점액이 목에 걸려 소리가 갈라지기도 합니다.

낭독하기 가장 좋은 때는 밥 먹고 1시간 정도 지난 후입니다. 적당히 소화된 음식이 운동에너지로 바뀌는 시점에 바른 자세로 녹음하면 가장 좋은 컨디션으로 발성할 수 있습니다. 성우들이 다큐멘터리를 한 편 녹음하는 데 걸리는 시간은 보통 2시간 정도인데, 끝나고 나면 어김없이 허기가 찾아옵니다. 에너지를 많이 사용하기도 했지만, 발성을 제대로 하면 성대에서 생겨난 공명이 몸 전체를 울리고 소화기관을 함께 움직이기 때문입니다. 녹음을 마치고 나면 순환이 잘 되어 개운한 기분마저 듭니다. 그러고 보니 성우는 밥 굶는 일이 없는 직업입니다. 식사시간이 따로 없죠. 혼밥도 잘하고, 시간이 부족하면 이동 중에 김밥이나 간식도 꼭꼭 챙겨 먹습니다.

성대를 사랑하라

장비의 도움을 받을 수 없었던 과거의 연극무대에서는 발성법이 필수였습니다. 큰 무대에서 마이크가 속을 썩여도 노련한 배우는 C석 관객에게까지 대사를 전달할 수 있었습니다. 하지만 이제 발성에 대한 고민은 점차 사라져갑니다. 1인 크리에이터들의 방송을 떠올려보면 알 수 있는데요. 작은 소리만 전문으로 잡아내는 마이크가 보편화되고, 뉴미디어에 특화된 수요와 공급은 크게 말할 필요가 없는 ASMR이나 브이로그 콘텐츠로 이어집니다. 그럼 굳이 어려운 발성법을 배울 필요가 있을까요?

의외로 의도적인 작은 소리, 그러니까 속삭임은 성대를 긴장시킵니다. 우리 성대가 편안함을 느끼는 발성은 평상시 말하는 정도의 크기입니다. 하지만 이야기도 오래 나누면 목이 아프듯, 긴 글을 잘 낭독하고 싶다면 발성 연습은 건너뛰어선 안 되는 조건입니다. 발성 연습은 궁극적으로 튼튼한 성대를 만들기 위한 것입니다. 성대가 건강하고 부드러워야 다양한 소리를 낼 수 있으니까요. 따로 시간을 내어 연습할 필요 없이 평상시의 언어 습관을 바로잡는 것부터 시작하는 것이 좋습니다.

자신의 목소리가 작은 편이라면 먼저 평소에 성량을 조금 키워보세요. 모르는 사이에 조금씩 성대 근육이 단련되고 소리길이 넓어질 것입니다.

성량이 좋으면 연기에도 도움이 됩니다. 음폭이 커지면 캐릭터에 맞게 소리를 조절할 수 있고, 결국 감정의 완급 조절이 쉬워집니다. 캐릭터 연기에서는 성대를 조여 소리 내는 때가 많은데, 성대 근육이 탄탄하다면 부담이 훨씬 줄어들겠지요.

간혹 습관적으로 큼, 큼 하며 목을 고르는 사람을 봅니다. '이제 낭독 시작할 거야'하며 시동을 거는 중이거나 이물감을 없애려는 목적이겠지만 아쉽게도 두 경우 모두 득보다 실이 큽니다. 성대는 아주 연약한 조직이어서 쉽게 상처가 날 수 있고, 목 고르기가 실제로는 이물감을 제거하는 효과보다는 나쁜 습관으로 자리 잡을 수 있기 때문입니다. 이물감이 있을 때는 미지근한 물을 천천히 마셔 성대가 부드러워질 시간을 주고, 습관적인 목 고르기는 원고를 읽으며 분위기에 집중하는 것으로 바꿔가면 좋겠습니다.

때로는 목소리가 영 마음 같지 않을 때도 있지요. 한 시간을 읽어도 처음처럼 생생한 날이 있지만, 또 어떤 날은 한없이 가라앉기도 하고요. 목소리에 영향을 미치는 조건은 다양합니다. 여성이라면 혹시 호르몬이 난조인 날은 아닌지 생각해 보세요. 생리 중이거나, 배란기에 유독 컨디션이 좋지 않은 사람이라면 어려움을 겪을 수 있습니다.

나이가 들면 성대의 탄력이 떨어집니다. 그래서 젊은 사람이 나이 든 사람보다 목소리에 힘이 있고 성대 손상도 적습니다. 하지만 중년의 소리는 안정적이고 따뜻함이 느껴지니 너무 일찍 낙담할 필요는 없습니다.

성격이 차분해서 평소에 말을 적게 하는 사람은 목소리가 작은 편입니다. 목소리에 맞지 않는 글을 낭독하며 무리하기보다는 명상이나 잔잔한 에세이를 택하면 충분히 개성을 발휘할 수 있습니다. 반면 성격이 활달한 사람은 낭독 속도도 빠른 편입니다. 자칫 발음이 뭉개지거나 감정 전달이 충분히 되지 않는 때가 있지만 이 점만 유의한다면 서사가 강조되는 소설에 적합합니다.

낭독은 하루 중 언제 하면 좋을까요? 아침형 인간이라면 일어난 지 세 시간 정도 지난 때가 좋습니다. 몸의 근육이 깨어나고, 아침밥이 어느 정도 소화됐을 무렵이죠. 그러나 아침형 인간이 아니라면 오전보다는 오후가 더 좋습니다. 점심을 먹은 지 한 시간 정도 지났다면 최적이에요. 만약 저녁 시간에 낭독을 해야 한다면 기분이 가라앉지 않도록 스스로 기분을 조절하거나 모니터를 부탁하는 것이 좋습니다. 사람들과 가볍게 수다를 떨면서 에너지를 끌어올리거나, 차 한잔을 마시면서 목 상태를 보완하는 것도 도움이 될 거예요.

'내 목소리는 늘 비슷하게 들리고 톤이 어떻게 다른지도 잘 모르겠는데?'라고 생각된다면 실험을 한 번 해보세요. 운동 전과 후, 또는 오전과 오후에 녹음을 해서 톤의 변화가 있는지, 있다면 어느 톤이 더 좋은지 비교해 보길 권합니다. 느낌에 의존하지 않고 객관적인 내 목소리를 바로 알아차리기에 녹음만한 실험도구는 없거든요.

반가운 고향 친구에게서 연락이 왔습니다. 모처럼 서울 나들이를 온다고요. 고속도로 덕에 오래 걸리는 것도 아니었지만 우린 마치 신사임당이 대관령 넘기를 어려워하듯 서로의 동네를 멀게만 느끼고 있었습니다. 그런 친구가 긴히 대관령을 넘어 서울까지 오는 이유는 시 낭송 대회에 참석하기 위해서라고 했습니다. 시 낭송이라니! 친구가 대회에 참석할 정도로 시 낭송에 관심이 있는 줄은 몰랐기에 더 반갑고 궁금했습니다.

수년 만에 만난 친구와 회포도 풀기 전에 대회는 시작되었습니다. 그런데, 저는 그만 터지는 웃음을 꾹 눌러 담아야 했습니다. 참가자들의 시 낭송은 어렸을 적에 들었던 것과 한 치의 차이도 없었기 때문입니다. 웅변조의 발성, 적당히 들어 올리는 팔과 시선은 수없이 연습한 결과였습니다. 친구는 당당히 대상을 받았으므로 저는 잘못된 낭송법을 지적조차 할 수 없었습니다.

유튜브에 '서울 사투리'를 검색하면 80년대 뉴스 인터뷰 영상이 나옵니다. 북한 억양처럼 들리기도 하고, 경기도 억양이라는 댓글도 있습니다. 아무튼, 지금과는 달라도 너무 다르죠. 비슷한 시기 영화 더빙을 들어보아도 마찬가집니다. 간드러지는 목소리에 비음이 많이 섞이고 과장되어 있습니다.

과장이라면 초등학교 때부터 이어진 웅변 대회를 빼놓을 수 없지요. 목이 터져라 외쳤던 웅변 대회는 주산학원과 함께 빠르게 사라지고, 지금은 스피치 대회로 대체된 듯합니다. 하지만 신기하게도 시낭송은 옛 모습 그대로 과장된 어투와 몸짓을 재현해 내고 있었습니다.

시적 감성에 있어 웅변조로 읽든 읊조리듯 읽든 개성차라고 한다면 그만이지만 그래도 과장된 감정 표출은 촌스러워진 지 오래입니다. 영화 <봄날은 간다>에서 유지태가 그랬지요. "어떻게 사랑이 변하니." 무덤덤한 일상의 말처럼 표현한 이 대사는 관객들 가슴에 오래 남았습니다. 감정을 기억하되 다 내어놓지 않는 것. 영화 <박하사탕>의 "나 돌아갈래!!"식의 절규보다 <봄날은 간다>의 내적 한탄이

시에 가깝다고 저는 생각합니다.

어미를 유독 늘이거나 강조점을 두어가며 굴곡있게 읽는다 해서 더 큰 울림이 생겨나는 건 아닙니다. 오히려 몰입을 방해하지요. 과장 없이 읽다 보면 우리가 자연스럽게 말하는 속도에 맞춰집니다. 이 글을 쓰는 동안 알게 된 사실이지만, 지금 시낭송계는 변화하기 위해 무진 애를 쓰고 있습니다. 저의 비유가 비난으로 보이지 않기를 바랍니다. 또 지역적 공감대도 작용할 것입니다. 가끔 지역 방송의 자체 프로그램을 녹음하다 보면 영상이 조금씩 남는 경우가 있습니다. 읽는 속도를 다소 느리게 상정하고 대본을 쓴 것이지요. 제 생각에는 바쁜 서울보다는 삶의 여유가 있는 지방이 말의 속도도 여유 있어 보입니다. 일제 강점기에 비해 2008년 뉴스의 내레이션이 68%나 빨라졌다는 연구 결과도 있습니다. 삶의 형태가 말의 속도를 좌우한다는 것은 재미있는 발견입니다.

논어의 '향당'편에는 공자의 화법이 '늘 겸손하고 과묵하시니 마치 말을 못 하는 사람 같았다'고 묘사됩니다. 떠벌리지 않는 것이 동양의 미덕이긴 합니다만, 온 세계가 한마당에서 경쟁하는 지구촌 시대이고 보니 이런 겸손은 손해로 돌아오는 것 같아 속상할 때도 있습니다. 오히려 똑 부러지게 자신의 주장을 표현하는 것이 자신감 있어 보입니다. 말을 내놓지 않고 우물거리거나, 작은 목소리로 말하거나, 더듬는 말투는 자신이 없어 보이니 요즘 같은 때 공자처럼 겸손한 사람 되기란 다 그른 것 같습니다.

말 더듬기는 후천적이기도, 습관이기도 한데 한 번 입에 배면 잘 고쳐지지 않습니다. 낭독에 있어 더듬기가 좋지 않은 이유는 리듬감을 깨기 때문입니다. 마라톤이나 자전거에 비유하면 적당할 것 같습니다. 일정한 페이스를 유지하면 긴 여정도 생각보다는 수월합니다. 그런데 가다가 장애물을 만나거나 발에 쥐라도 난다면, 단지 쉬어가는 시간만 잃는 게 아니라 다시 그 페이스를 찾기까지의 시간이 문제가 됩니다. 낭독도 마찬가지입니다. 한 번 깨진 리듬감을 다시 되살리려면 잦은 NG와 식어버린 감정을 감당해야 합니다. 낭독에는 리듬이 있는데, 잦은 혀꼬임으로 NG가 나면 감정이 깨지고 작은 낭패감마저 듭니다. 임시방편으로는 마음에 들지 않는 부분을 표시해 두었다가 어느 정도 리듬을 찾아간 이후에 재녹음하는 방법이 있습니다.

사실 모든 발음을 잘하도록 조건을 타고난 사람은 많지 않을 거예요. 누구나 '시옷' 발음이 어렵고, '리을'이 반복되면 혀가 말릴 테고, 받침이 많아지면 발음이 씹히기 쉽지요. 이런 경우는 그저 좀 천천히 읽어주는 것만으로도 많은 도움이 됩니다. 한 음절이나 두 음절만 자간을 넓혀 읽는 거예요. 그렇게 읽었는데도 어색하게 느껴질 때는 꼬이는 부분만 여러 번 읽어 혀와 입술 근육이 그 발음을 기억하게 합니다. 근육이 올바른 소리가 날 때의 움직임을 기억하기 때문이죠. 물론 이런 근육훈련이 꾸준히 쌓이면 '발음 좋은 사람'이라는 수식어가 선물로 남게 됩니다.

말하는 이도,
듣는 이도 몰입하는 낭독

저는 낭독하기 전에 그 글을 쓴 작가를 떠올리고, 작가의 연혁이나 철학을 찾아보기도 합니다. 왜 이 글을 썼는지, 어떤 마음으로 썼는지 생각하고 느껴봅니다. 작가가 글을 대하

"작가가 글을 대하는 무게감,
문장의 온도에
나도 모르게 끌려 들어갈 때
비로소 낭독을 시작하죠.
그렇게 푹 빠져서
책을 낭독하는 동안은
작가의 마음이 됩니다"

는 무게감, 문장의 온도에 나도 모르게 끌려 들어갈 때 비로소 낭독을 시작하죠. 그렇게 푹 빠져서 책을 낭독하는 동안은 작가의 마음이 됩니다. 여러 작가의 마음을 더 가까이 느낄 수 있는 것이 북 내레이터의 매력이 아닐까 합니다.

낭독자가 느끼는 몰입감은 듣는 이에게도 집중력을 선사합니다. 듣는 이가 이야기에 빠져들수록 더욱 선명하고 정확한 상상이 마치 현실처럼 그려지겠지요. 듣는 이는 비로소 사건의 가운데에 자리를 잡고 앉아 상상할 준비를 마칩니다.

듣는 콘텐츠의 초대 주자인 라디오가 보편화 된 것은 1930년대입니다. 이 무렵 미국에서는 '화성으로부터의 침공'이라는 라디오 드라마가 인기였습니다. 사람들은 모두 그것이 드라마인 줄 진즉 알고 있었지만, 화성인이 지구를 침략하는 대목이 방송되자 어느 순간 이 일을 실제상황이라 인식하게 됩니다. 겁에 질려 거리로 뛰쳐나온 사람들은 물건을 사재기하고 국경을 탈출하다 폭동까지 일으킵니다. 라디오 드라마로 집단 패닉에 빠진 이 일화는 세계 미디어 사에 기록으로 남게 되었죠. 물론 미디어에 대한 인식 부족으로 생긴 해프닝이라 생각할 수도 있지만, 오디오가 불러오는 상상의 힘은 생각보다 세다는 것을 증명하기도 하는 일화입니다.

꼭 드라마가 아니어도, 오디오는 듣는 이의 참여를 유도합니다. 낭독도 그렇지요. 좋은 낭독을 듣다 몰입에 이르면 어느새 감독이 되어 배경을 그리고, 주인공과 악역을 설정합니다. 상상력의 범위는 점점 넓고 또렷해져서 어느덧 내적 심상에 매우 집중하게 됩니다.

이미 듣는 이의 마음에 새로운 세계가 생겨난 상태죠. 귀로 듣는 것은 눈으로 보는 것과 달리 한계 지어지지 않습니다. 상상력이 만든 세계의 한가운데에서 듣는 이는 보고 느끼고 맛보게 됩니다. 온전히 오감이 자극되는 상황에 놓이게 되는 것이죠.

모든 이야기가 끝나면 낭독자와 듣는 이 모두는 이야기에서 빠져나올 시간이 필요할지도 모릅니다. 낭독을 매개로 얼마나 소중한 세상에 다녀왔는지… 그 잔상은 꽤 오래 남을 것입니다.

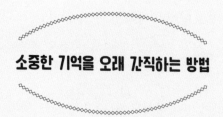

소중한 기억을 오래 간직하는 방법

10년 전, 온라인 독서모임으로 만나 지금까지 이어져 온 사람들이 있습니다. 격주 일요일마다 남산 아래 비 오는 카페에서, 낙엽 지는 서울숲에서, 또 어떤 날은 지푸라기 가득한 막걸리집에서 의견을 나누기도 하고 소리 내어 책을 읽기도 했습니다. 술 탓인지, 부끄러움 탓인지 달아오른 얼굴을 하고 직접 지은 시 한 수씩을 읊은 적도 있군요.

아래의 기록은 우리가 나누었던 수많은 이야기 중 '소중한 기억을 오래 간직하는 방법'의 일부입니다.

흰 당나귀 님의 이야기

✦ 오늘이 제일 예쁜 날

어릴 때 운동회를 하거나 여행을 가면 부모님이 달고 계시던 말씀이 있어요. '남는 건 사진밖에 없다, 어여 붙어 서. 빨리 찍자'고 하실 때마다 정말 어

낭독을 시작합니다

색하고 싫었거든요. 그래서인지 사진 속의 저는 삐죽하게 외따로 서서 입을 댓 발이나 내밀고 있어요. 그런데 그 오리 주둥이도 지금 다시 보면 귀여워서 웃 음이 나고 추억이 새록새록해요. '이날 이어달리기에서 우리 반이 꼴찌 했지', '평창 가서 삼촌이 다슬기 제일 많이 잡았지' 같은 거요.

20대에 찍은 사진을 보면 화장도 엉성하고 그때 유행하던 차림새라 촌스 러운데, 그래도 그 나름대로 예뻐요. 눈빛도 반짝반짝하고 볼에는 생기가 돌 고요. 웃긴 건 저는 항상 '살 빼야 한다'고 했는데 그때 모습은 '내가 이렇게 말랐었나?' 싶게 날씬하더라고요(웃음). 거울 보면서 아침마다 한탄하지 말 고, 사진을 찍어 뒀다가 10년 뒤에 웃으면서 '나 이때 좀 괜찮았네' 하며 보는 편이 정신 건강에 이롭겠다는 생각이 들었어요.

이제는 부모님이 왜 그렇게 말씀하셨는지 알겠어요. 그래서 요새는 경험이 나 느낌까지도 기록해두려고 노력해요. 장소, 함께 했던 사람들, 이 자리에 모 인 이유, 상황을 간략하게 적어두면 언제라도 그날의 분위기를 되살려낼 수 있을 것 같아요. 꼭 오늘 하늘처럼 선명하게요.

✦ 언제나 격려받을 수 있도록

하나 아쉬운 건 젊은 부모님 모습을 많이 남기지 못한 거예요. 제가 외동이 라 유일한 가족인데도요. 부모님도 막상 사진 찍자고 하면 꼭 어릴 때 저처럼 어색해하시더라고요. 그래서 생각해 낸 방법은 부모님과의 통화 기록을 녹음 해두는 거였어요. 그러면 그 녹음을 다시 듣고 싶어지는 때가 옵니다. 회사에 서 잔뜩 깨져서 집에 가는 길이 멀게만 느껴지거나, 마음이 끄트머리부터 조 금씩 부스러지는 날이죠.

'퇴근했어? 저녁은 먹었고?', '주말에 집에 와. 엄마가 너 좋아하는 복숭아 사놨어.', '구름이가 아빠 신발에다 잔뜩 저지레 해놨다' 같은 목소리를 듣다 보면 눈물이 나기도 하고, 부스러진 마음이 저 끝부터 다시 차오르기도 해요.

영상이 아닌데도 꼭 보고 있는 것처럼 부모님 표정이 차례로 떠오르고요. 웃긴 얘기를 하시고 제 동의를 구할 때는 콧잔등을 찡긋거리거나, 머쓱할 때는 말보다도 슬쩍 내려간 왼쪽 입꼬리가 먼저 감정을 전하는 습관 같은 것들이요.

언젠가는 부모님과도 이별할 날이 오리라는 걸 알아요. 그래도 저는 언제나 두 분 목소리로 '우리 아가, 다 잘될 거야'라고 따뜻하게 격려받을 수 있지 않을까요?

감자껍질파이 님의 이야기

✦ 운동화 상자를 꽉 채운 생각

저는 중2병이 좀 세게 왔답니다. 하고 싶은 말도 많고, 떠오르는 생각도 많은데 다 풀어내질 못해서 늘 부루퉁해 있었어요.

당시 꽤 오래 매진했던 취미 중 하나는 소니 워크맨에 핀 마이크를 연결해서 30분 정도 '셀프 인터뷰'를 하는 것이었어요. 겉면에 사인펜으로 제목을 휘갈겨 쓴 카세트 테이프가 나이키 운동화 상자 두 개를 꽉 채웠죠. 오늘 학교에서 있었던 일과 느낀 점, 망상이 대부분인 장기 목표들('최상위권 학교에 진학해서 고액 과외로 돈을 많이 벌면 어떻게 쓸 것인지' 같은), 빌보드 차트 듣고 한 곡씩 분석하기, 시사 비평같은 것이었어요. 일타강사처럼 이차함수 풀이를 한 날도 있더라고요. 이건 아마 제 울뚝불뚝한 기질, 밖으로 표출하고 싶은 에너지를 혼자 해소하는 방법이 아니었나 싶어요. 친구 사이에서 흔히 일어날법한 부정적인 감정은 말이 되어 날아가고, 중학생에게 버거운 주제들은 완벽한 문장으로 만드느라 여러 번 곱씹게 되고요. 누가 시키지 않아도 열심히 보고 들었던 신문 사설과 여러 장르의 음악은 지금의 문화적 자양분이 되었다고 생각해요.

엄마는 아마 제가 늦게까지 공부한다고 생각하셨겠지만… 저는 그 시간에 몽상가도 되었다가 논객 노릇도 하느라 혼자 바빴던 거죠.

✦ 마음이 하는 이야기에 귀를 기울이면

오늘 이 이야기를 하려고 옛날 테이프 하나를 다시 꺼내 들었는데, 어느 수다스러운 중학생의 방문 너머에서 조용히 귀를 기울여보는 느낌이 들었어요. 얘가 무슨 생각을 하고 사는지, 좋아하는 것이 이렇게나 많은지, 무엇에 분노하는지, 커서 어떤 어른이 되고 싶은지 같은 것을 알 수 있어서 재미있었어요.

언젠가 '오글거린다'는 단어로 일축되어 사라져버린 감성이 아쉽다는 내용의 단문을 읽은 적이 있어요. 조금 과하게 느껴질지라도 내 감정에 솔직한 표현들이 비웃음을 사면 결국 꺼내기 머뭇거려지고, 그러다 마음이 메말라간다는 내용이었는데요. 그 이후로는 뭔가 말하고 싶은 것들이 생길 때마다 목소리로 일기를 쓰게 돼요. 새벽반 수영 강습을 들으러 가는 길에, 출근길에 운전하면서, 집에 와서 맥주 한 잔 하다가 목소리로 써나간 이야기들이 벌써 118개 째예요. 조금 더 여유가 있는 날에는 오늘 날씨와 기분에 들어맞는 배경음악을 골라서 깔기도 하고요. 가끔 다시 들어보기도 하는데, 짧게는 몇 시간 전의 나, 아니면 몇 달 전의 나를 더 깊이 알아가는 습관이 된 것 같아요.

목소리 일기는 '남기는 행위'보단 '남기는 즐거움'을 충분히 느끼는 시간이라고 생각해요. 남길만한 것들을 하나씩 툭 툭 꺼내서 목소리에 싣다 보면 어느새 가슴이 가벼워지더라고요. 자기 인생과의 긴밀한 관계를 쌓아나가고 싶다면 저는 목소리 일기, 추천합니다.

오거서 님의 이야기

✦ 오늘도 어제처럼 뭉갤 순 없어

'반짝반짝한 생각들'을 기록하게 된 과정을 얘기하고 싶어요.

저는 열일하는 브랜드 마케터입니다. 직접 만든 콘텐츠로 광고를 집행하고, 유명 연예인과 함께한 캠페인이 방송을 타기도 하죠. 그러다 결국 번아웃이 오고 말았어요. 완벽주의 성향도 불에 기름을 부은 격이었죠. 모든 일이 시들해지니 미룰 수 있을 때까지 미루고, 열정도 잔뜩 움켜쥔 바닷물처럼 다 빠져나가는 기분이었어요. 실행력이나 판단이 예전 같지 않으니 제일 안타까운 사람은 광고주가 아니라 저였어요. 광고계는 시간이 빨리 흐르는 업종인데 이러고 있는 스스로가 불쌍하고 초조했죠.

거의 1년을 그렇게 흘려보내다가 이제 더는 안되겠다고 생각한 어느 일요일이 생각나요.

그날도 여느 때처럼 길게 누워서 핸드폰이나 붙들고 있었는데요. 아까 배달시켜 먹은 닭발의 힘 덕인지 저 밑바닥에 찌꺼기같이 말라붙은 힘을 닥닥 모아서, 처음이자 마지막일 것처럼 속으로 소리를 질렀어요. '일어나! 이러다 퇴물 된다고!!!'

✦ 기록이 되어 켜켜이 쌓이는 생각

닭발의 힘으로 성공했냐고요? 아니요. 결국 심리상담을 받아보았습니다. 상담 결과 저는 불안감과 긴장이 높은 상태였고, 그 해결책으로 '정제 없이 내보내기'를 권유받았습니다. 글을 써도 좋고, 브이로그나 사진 뭐든지 다 괜찮다고 했지만 저는 왠지 소리가 주는 개운함을 느껴보고 싶었어요. 왜, 노래

낭독을 시작합니다

방에 다녀오면 기분이 좀 나아지는 것 같기도 하잖아요. 핸드폰 성능도 좋았지만 일부러 소형 아날로그 녹음기를 하나 장만했죠. 녹음기를 딸깍, 하고 누르면 저만을 위한 의식이 시작되는 것 같았어요.

짧은 토막같은 생각이 지나갈 때, 흥미로운 콘텐츠를 봤거나 새로운 이치를 깨달았을 때, 다만 몇 문장이라도 기록해 두었습니다. 그러자 날카롭고 부정적인 에너지가 조금 더 수용적인 태도로 변한 것이 느껴졌어요. 스스로를 검열하지 않고 정제 없이 내보내는 건 왠지 아무렇게나 떠벌대는 것이 아닐까 싶었는데 신기하게도 말을 할수록 생각은 점점 명확해졌습니다. 인터넷 콘텐츠에 익숙해져서 굳어버린 어휘력도 다시 말랑해지기 시작했고요.

처음부터 완벽하게 할 필요도 없었어요. 제가 들인 노력은 전처럼 '이게 맞아? 확실해? 책임질 수 있어?'하고 끊임없이 멈춰서 닦달하지 않고, 생각이 자연스럽게 말이 되어 나오길 허용해주는 것뿐이었어요. 반짝반짝거리는 무수한 생각들이 나를 거쳐 마구 흘러나가는 감각은 아주 오랜만에 되찾은 느낌이었죠.

창작하고 싶은 마음, 좋은 아이디어들, 순간의 영감- 흘려보내지 않고 기록할 수 있어서 기뻐요. 잠시 저를 떠나있었지만, 원래는 제 일부분이었으니까요. 소중한 것은 그 자체로도 좋지만 오래 기억했을 때 더 빛나지 않을까요?

오감五感을 여는 낭독

1994년 KBS 24기 성우. 언제나 이 순간을 충실히 살며, 그러면서도 누구에게라도 도움이 되고자 한다. 마음먹은 것은 조용히 이뤄내고야 마는 내면의 힘이 있다. 동국대학교 문화예술대학원에서 연극예술학을 전공했으며 지은 책으로는 『공감 낭독자(2022)』가 있다. <파워퍼프걸>의 버터컵, MBC <TV특종! 놀라운 세상>의 나레이션 외에도 단단한 목소리로 라디오, 오디오북, 무용극, 뮤지컬 등 다양한 영역을 섬세하게 넘나든다.

사투리 억양? 고칠 수 있어요

제 고향은 마산입니다. 처음 성우를 하겠다고 했을 때, 누군가 그러더군요. "경상도 사람이 성우가 되겠다고? 어려울 텐데…"

그리고 성우가 된 이후 가장 많이 받았던 "경상도 억양을 느낄 수가 없는데 사투리는 어떻게 고쳤어요?"같은 질문에는 "네, 녹음기로 고쳤어요."라고 대답하곤 했습니다. 제가 경상도 출신인 걸 아는 몇몇 사람들만 하는 질문이죠. 한복 가게를 하시던 어머니가 늘상 켜둔 라디오 영향도 컸

겠지만요.

어릴 적, 아버지가 영어발음을 교정하려고 소형 녹음기를 하나 사오셨습니다. 카세트 테이프가 들어가는 녹음기니까 지금은 유물이 되다시피 한 모델이죠. 처음 보는 그 새롭고 낯선 물건은 그 후 아버지가 안 계시는 낮 동안에는 제가장 애정하는 장난감이 되어버렸어요. 녹음 버튼을 눌러놓고는 책도 읽고 혼잣말로 중얼거려도 보고, 텔레비전에나오는 아나운서 흉내도 내고 노래도 불렀습니다. 마냥 신기하고 재미있었어요.

그런데 KBS에 입사 후, 녹음한 방송분을 다 같이 모니터링할 때였습니다. 동기들이 녹음된 자신의 목소리를 낯설어하며 어찌할 바를 몰라 하는 거예요. 심지어 스튜디오를 나가버리는 경우도 있었습니다.

'어, 왜 난 아무렇지도 않지? 스피커에서 나오는 소리는 그냥 내 목소린데…'

그렇게 제 목소리가 익숙했던 건 아마도 어릴 때 자주 녹음하고 놀면서 많이 들어봤기 때문일 겁니다. 오랜만에 사진을 찍었을 때 약간의 실망과 함께 내 얼굴이 아닌 것 같은 느낌이 들었다가도 사진을 자주 찍다 보면 '그래, 이게 내 얼굴이지'하고 인정하게 되잖아요. 그런 것처럼 녹음된 목소리가 처음에는 어색하지만 자꾸 듣다 보면 '이게 다른 사람이 듣는 내 목소리구나'하고 내 소리를 객관적으로 인지하게 되는 거지요.

나중에 알게 된 사실이지만 우리는 말할 때, 입 밖을 나가 공기를 통해 다시 내 귀로 전달되는 목소리와 자신의 두개골을 울려 전달되는 목소리를 동시에 듣는다고 합니다. 뼈를 거쳐 공명된 소리는 진동수가 낮아서 더 깊고 풍성하게 들리는데요. 그래서 녹음된 자신의 목소리를 처음 들으면 생소하게 들리는 겁니다. 평소 자신이 알고 있던 것보다 훨씬 높고 가늘거든요.

사실 제게는 무척이나 고마운 이 '녹음기'란 녀석은 고교시절에 가장 큰 활약을 했습니다. 경상도 출신인 제가 사투리를 교정하고 2년간 무사히 교내 방송을 마칠 수 있게 해 주었으니까요. 이후로도 녹음기는 성우 생활 내내 선생님 역할을 톡톡히 해주고 있습니다.

제가 나온 마산 성지여고 방송반은 당시 학생들 사이에서 꽤나 유명했습니다. 중급 녹음실 수준의 기자재가 갖춰져 있었고 담당 선생님의 체계적인 운영으로 소문난 곳이었어요. 그래서 경쟁률이 상당히 높았습니다. 그런 방송반에 합격했으니 당연히 제가 표준말을 하는 데는 아무 문제가 없다고 생각했었지요.

우리 방송반은 매일 점심시간에 한 시간씩 음악 프로그램을 진행했는데 저는 클래식 아나운서였습니다. 그러던 어느 날, 방송을 마치고 나오니 선배가 '용순아, 너 오늘 방송에서 사투리 쓴 거 알고 있어?'라고 하는 거예요.

문제의 멘트는 지금도 기억납니다. '발트토이펠의 Op.191 여학생 왈츠 들려 드리겠습니다.' 여기서 '여학생'이 사투리 억양이었다는 겁니다. 그런데 뭐가 사투리인 건지 그때는 전혀 모르겠더라고요. 고민 끝에 같은 학년 아나운서 두 명에게 '여학생'을 발음해보라고 했습니다. 그 둘은 서울에서 태어나 중·고등학교 때 마산으로 전학 온 친구들이었거든요. 제게는 서울 출신 친구들의 억양이나 제 억양이나 별 차이 없는 것 같았습니다. 그러나 그 친구들은 제

사투리 억양을 바로 집어내는 거였어요. 낭패였습니다. 그들에게는 들리는 게 제 귀에는 들리지 않는다니요!

고민 끝에 녹음기를 꺼내왔습니다. '여학생'을 각자 녹음하고 비교해 보았더니 그제야 다른 점이 확연히 들리는 것이었어요.

친구들이 [여학′생]을 발음할 때는 첫음절이 낮고 약한 반면 내가 말하는 [여′학생]은 상대적으로 첫음절의 음높이가 높고 강하게 들렸습니다(강세가 있는 음절 오른쪽 상단에 ′를 표시하였습니다). '여학생' 말고도 몇 가지 예시를 더 들어 볼게요. 만약 저처럼 경상도 화자라면 한 번 소리 내어 읽어 보세요.

월요일 아침에 아이스 아메리카노 마시자.

이거 어디까지 올라가는 거예요?

저 사람이 소대장이야.

위의 세 문장은 경상도와 표준어 억양의 차이를 뚜렷이 보여줍니다. 경상도 억양은 소리의 높낮이와 강약의 변화가 큰데 비해 표준어 억양은 상대적으로 어조가 크게 변하지 않고 낮은 음으로 시작하는 경우가 많습니다. 단, 표준 발음은 장음이 들어있는 음절이 동시에 강하게 소리난다는 점을 유념하세요.

저는 꽤 오랫동안 경상도 출신이라는 사실을 핸디캡으로 여겨왔던 것 같아요. 그런 만큼 우리말에 남다른 관심을 갖고 정확히 말하려는 노력을 기울였고요. 대학 방송국에 들어가서부터 새롭게 만나는 사람들과는 평소에도 표준말을 사용하려고 애썼습니다(물론 가족과 친구들하고는 걸쭉한 사투리를 썼지만요). 당시 '잠꼬대도 서울말로 하냐'고 언니한테 핀잔을 듣기도 했습니다. 그런 노력 덕분인지 '여학생' 이후로 사투리 억양이 있다는 말은 지금까지 한 번도 들은 적이 없습니다. 물론 녹음하면서 연습하고 확인하는 과정을 수없이 반복했지요. 고교시절은 날 새는 줄도 모르고 재밌게 녹음했던 기억들로 가득합니다.

제가 오래된 녹음기 이야기를 이렇게 늘어놓은 것은 녹음기가 발음이나 사투리 억양, 잘못된 말 습관을 교정하는

데 더할 나위 없이 좋은 도구이며, 무엇보다 자신의 목소리에 익숙해지도록 해준다는 것을 강조하고 싶어서입니다. 내 목소리에 익숙해지면 어떤 점이 좋으냐고요? 목소리로 무언가를 할 때 긴장감이 줄어듭니다. 한 수 먹고 들어가는 거지요. 긴장은 자연스러운 호흡과 공명을 방해해서 오히려 좋은 목소리를 내기 어렵게 만들거든요. 자신이 낼 수 있는 가장 자연스럽고 좋은 소리를 내고 싶다면 자기 목소리를 의식하지 않아야 합니다.

내 목소리 그대로의 낭독

낭독 수업에서 만난 수강생 한 분이 "선생님, 저는 목소리가 왜 이렇게 뾰족뾰족할까요? 싸움닭 같아요. 푸근한 엄마 목소리이고 싶은데… 제 목소리가 싫어요."라고 해서 깜짝 놀란 적이 있습니다.

제가 들었을 땐 발음도 정확하고 또랑또랑하니 개성이 넘치는데 정작 본인이 원하는 목소리는 아니었던 모양입니

"자신이 낼 수 있는
가장 자연스럽고
좋은 소리를 내고 싶다면
자기 목소리를
의식하지 않아야 합니다."

다. 심지어 "우리 아이가 제 목소리를 알아채지 못한다 해도요, 좋은 목소리로 바꿀 수만 있다면 꼭 그러고 싶어요." 라고도 했습니다. 그분은 그렇게 자신의 목소리에 만족하지 못한 채 톤을 낮춰 자기가 원하는 누군가의 목소리를 흉내 내어 읽는 연습을 한동안 계속했습니다.

그런 상태에서 하는 낭독이 과연 만족스러웠을까요? 본인도, 듣는 저도 그렇지 못했습니다. 목소리에만 신경을 쓰니 내용도 머리에 잘 들어오지 않았다고 합니다. 저는 그분 목소리의 장점을 말해주고 스스로도 그렇게 생각되는지 한번 잘 들어보기를 권했습니다.

가장 큰 장점은 자음의 발음이 명확하다는 것이었습니다. 자음은 말의 의미를 전달하는 소리로, 이성적인 역할을 담당합니다. 자음이 정확하면 내용의 전달력이 좋다는 장점이 있습니다. 그래서 그분의 말은 다소 딱딱하게 느껴질 수는 있지만 귀에 아주 잘 꽂혔어요. 거기서 모음 발음만 보완하면 좀 더 감성적으로 들리고, 그러면 '뾰족뾰족하게' 느껴지던 목소리도 한결 나아질 거라고 알려주었습니다. 물론 목소리의 음질을 좌우하는 공명이 잘 되어야 한다는 전제

하에 말이죠. 참고로 요즘 가요의 창법에서도 모음이 강조됩니다. 아이유의 <밤편지>를 한 번 들어 보세요.

그분은 고맙게도 제 말을 믿어 주었고, 자신의 목소리를 있는 그대로 받아들이고 난 후부터는 완전히 달라졌습니다. '남의 목소리를 따라하지 않고 내 목소리 그대로의 낭독을 하니 내용에만 집중할 수 있게 되었다'고 했습니다. 그래서인지 이제는 낭독이 너무나 자연스러워져 듣고 있으면 '혹시 본인이 직접 쓴 글을 읽고 있나?'하는 생각까지 들었습니다. 그리고 본래의 생기 넘치는 목소리는 더욱 자신감이 붙어 제가 집안일을 하는 중에 들어봐도 내용이 귀에 쏙쏙 잘 들어왔습니다. 심지어 아주 재미있었어요. 그분 친구들도 그 낭독을 듣고는 "그래, 이게 네 목소리지. 네 목소리라서 참 좋아."라고 하더랍니다.

제가 서혜정 낭독연구소에서 낭독 강의를 한 지도 2년이 훌쩍 넘었습니다. 저는 수강생들에게 낭독한 녹음파일을 단톡방에 올리는 과제를 내주고 있는데요. 그들이 한 번에 쉽게 녹음하는 게 아니라 연습에 연습을 거듭하며 녹음하고 또 정성껏 편집해서 보내는 것을 알기에 대충 듣고 넘길 수가 없더군요. 녹음파일을 일일이 다 듣다 보면 끼니를 놓치기도 있고, 다른 일을 하느라 짬을 낼 수 없는 날에는 자기 전에 몰아서 들을 때도 많았습니다. 강의를 시작한 후 하루도 거르지 않고 낭독을 듣고 있고 저도 오디오북을 녹음할 때가 있으니 그야말로 낭독에 푹 빠져 살고 있는 셈이네요.

그런데 참 신기한 경험을 했습니다. 그날도 침대에 누워 수강생들의 낭독파일을 듣다보니 어느덧 새벽 4시가 되어 버렸습니다. 그렇게 밤새 그들의 목소리를 듣고 난 다음 날의 수업시간이었는데, 그분들이 훨씬 더 친근하게 느껴지는 거였어요. 저에게 어제 이전의 그들과는 다른 존재가 되어버린 거죠. 아마도 저들을 볼 때의 제 감정과, 그들이 나를 볼 때의 감정은 확연히 달랐을 겁니다. 마치 짝사랑하는 것처럼요.

그들의 목소리를 낮에 들을 때와 잠들기 전에 듣는 것은 분명한 차이가 있었습니다. 잠들기 10분 전과 잠을 깬 10분 동안이 인간의 무의식이 가장 활발한 때라는 구절을 어느 책에선가 본 기억이 있는데요. 그것 때문이었을까요? 제가 느낀 감정으로 미루어 볼 때, 잠들기 전에 자신의 목소리를 듣는 것은 자신을 있는 그대로 받아들이고 사랑할 수 있는 지름길이 될 것이 틀림없습니다.

이왕이면 좋은 글귀를, 좋아하는 책을 낭독해 보세요. 그리고 제가 그랬던 것처럼 잠자기 전에 자신이 녹음한 것을 듣는 거지요. 스스로를 아끼고 사랑하는 마음이 자기도 모르는 사이 점점 더 커져갈 겁니다.

낭독을 사랑하는 분들에게

낭독은 책을 소리 내어 읽는 것이지요. 소리 내어 읽을 때 집중이 더 잘되거나 소리 내어 읽는 것 자체를 즐기며 혼자 낭독하는 경우도 있지만 다른 사람 앞에서 혹은 누군가를 위해 낭독하는 경우가 더 많습니다.

그래서일까요? '낭독을 한다'고 하면 '소리 내어 읽다'의 '소리'에 더 주목하는 것 같아요.

낭독을 하다 보면 잘 하고 싶어지지요. 그런데 그 잘하고 싶은 마음이 오히려 낭독에 독이 되기도 합니다. 글을 마음에 담기도 전에 소리부터 내는 거죠. 매끄럽게 잘 읽어주려는 데만 열중하다보니 마음속에 내용이 들어오지 않는 거예요. 본인이 낼 수 있는 가장 멋진 소리로 낭독을 하려고 합니다. 또 틀리지 않게 읽는 것에만 열중한 나머지 책을 읽으면서도 자신이 무슨 말을 하고 있는지 모르는 경우도 있습니다. 이렇게 되면 주객이 전도됩니다.

사람들은 제각기 무언가를 얻기 위해 독서를 합니다.

새로운 지식이나 정보를 얻기 위해, 다른 삶의 이야기를 통해 감동을 얻거나 재미있어서 혹은 마음의 위안을 얻기 위해 책을 읽지요. 낭독 또한 그런 목적을 가진, 독서 방법 중 하나입니다. 그러니 낭독자는 다른 사람에게 책을 읽어주는 동시에 자신도 책을 읽는 목적을 이루어야 한다는 사실을 잊지 않았으면 해요. 그러려면 내용을 이해하며 낭독해야 하는 것은 지극히 당연합니다.

심지어 타인에게 책을 읽어주기 위한 목적만으로 낭독을 한다 해도 마찬가지입니다. 낭독자가 책의 내용이 이해되지 않는 상태로 낭독을 한다면 듣는 사람도 그 내용을 이해하기가 쉽지 않을 겁니다. 청자에게 공감이나 감동을 기대하기는 더더욱 어렵겠지요. 한 글자 한 글자 활자만 예쁘게 읽어주기보다는 문맥을 파악하고 내용을 이해하면서 낭독해야만 작가의 의도대로 내용을 정확하게 전달할 수 있습니다.

글은 작가가 하고 싶은 '말'을 문자로 옮겨 놓은 것입니다. 그러니 먼저 작가가 하고 있는 말에 귀를 기울여 보세요. 가만히 들여다보면 작가의 말투도 들리고, 태도도 보입니다. 어떤 식으로 무슨 말을 하고 있는지 그 목소리를 들어 보세요. 이렇게 귀를 여는 작업이 낭독의 첫걸음입니다. 낭독자가 그 이야기를 머릿속에 그려보고, 천천히 이야기를 따라가다 보면 글이 이끄는 대로 곧 마음도 움직이게 될 겁니다.

낭독을 시작할 때의 마음은 어땠어요?
무엇 때문에 낭독하고 있나요?
낭독을 어떻게 즐기고 싶나요?

잘하려는 마음에 지금 당신의 낭독이 본래의 목적을 잃어버렸다면 스스로에게 물어 보세요. 그리고 처음 이야기를 마주할 때 지니는 호기심을 갖고 낭독해 보세요. 그래야 듣는 사람에게도 그 마음이 전달될 테니까요.

복잡한 텍스트를
이해하는 여러 방법

앞에서도 말했지만 타인을 위해 낭독을 하게 된다면 내용을 잘 전달해야 한다는 책임이 주어집니다. 낭독자가 바르게 읽어주어야 책의 내용이 왜곡 없이 가닿을 테니까요.

　한 예능 프로그램에서 노랫소리를 크게 튼 헤드폰을 쓰고 앞사람이 말한 단어를 입 모양만 보고 알아맞히는 게임이 오랫동안 인기를 끌었습니다. 소리를 거의 들을 수 없는 악조건 속에서 엉뚱한 단어들이 속출했지요. 그걸 보는 재미가 아주 쏠쏠했지만 실제 상황에 견주어 보면 웃픈 현실이 되고 맙니다. 저는 다른 사람에게 책을 읽어주어야 하는 낭독자의 상황을 생각할 때면 이 게임이 떠오릅니다. 낭독자가 잘못 이해하거나 잘못 읽게 되면, 이 게임에서처럼 듣는 사람에게 전혀 다른 의미를 전달하게 될 테니 말이에요.

그럼, 텍스트를 바르게 이해하려면 어떻게 해야 할까요?

우선, 누가 무엇을 어떻게 했는지 눈으로 재빨리 주어와 서술어부터 찾는 겁니다. 그런 다음 '끊어 읽기'와 '이어 읽기'를 잘해야 합니다. 짧고 단순한 문장은 쉽지만 수식이 많거나 문장이 길어지는 복문은 단번에 이해하기 어려울 때도 있습니다. 예문 하나만 들어볼게요.

바위라고는 하나도 없이 능선이 부드럽고 밋밋한 동산이 두 팔을 벌려 얼싸안은 듯한 동네는 앞이 탁 트이고 벌이 넓었다.

— 박완서, 『그 많던 싱아는 누가 다 먹었을까』 중에서

문법적으로는 문제가 없지만 파악하기 어려운 문장입니다. 덥석 소리 내어 읽기 시작했다면 대체로 헤매기 십상입니다. 이럴 때, 주어와 서술어만 찾으면 엉킨 실타래 풀리듯

"낭독을 시작할 때의 마음은 어땠어요?

무엇 때문에 낭독하고 있나요?

낭독을 어떻게 즐기고 싶나요?"

문제가 술술 해결됩니다.

주어: 동네는
서술어: 앞이 탁 트이고 벌이 넓었다.

나머지 부분은 주어나 서술어를 수식하는 경우가 많으니 찾아볼까요?

동네 앞의 관형절 '동산이 두 팔을 벌려 얼싸안은 듯한'은 '동네'를 꾸며주는 말이고, '바위라고는 하나도 없이 능선이 부드럽고 밋밋한'은 '동산'을 꾸며주는 말입니다.

이렇게 한 문장 한 문장 이해가 되면 다음으로는 단락마다 무슨 이야기를 하는지 파악해 보세요. 작가들은 친절하게도 여러 문장을 한 가지 중심 내용으로 묶어서 단락으로 나누어 놓습니다. 예를 들어 사회학 서적에서는 단락마다 정의를 내리거나 문제의 상황을 제시하기도 하고 의견을 내세우며 근거를 덧붙이기도 합니다. 소설이라면 배경을 묘사하거나 인물의 행동과 심리, 갈등을 다루는 등 달라지는 내용에 따라 단락을 구분지어 놓고요. 머릿속에서 단락별로 정리가 되면 전체적인 흐름을 따라가기가 수월해집니다. 나무 하나하나만 보지 말고 숲을 보자는 겁니다.

텍스트를 이해하는 또 다른 방법은 '작가의 눈'으로 책을 읽는 겁니다. 작가가 이 시점에 이 이야기를 왜 하고 있는지 의문을 가져 보세요. 작가의 입장에서 책을 읽다 보면 의외로 책의 내용을 이해하기가 훨씬 쉽습니다. 때로는 수수께끼를 푸는 것 같아 책에 대한 흥미도 높아지는 데다 어느새 작가가 아주 가까운 사람처럼 느껴질 때도 있어요. 또, 문장에 직접적으로 드러내지는 않지만 문장 사이사이 숨겨진 의미도 찾아보세요. 탐정처럼 돋보기를 들고 탐색하듯 의문과 호기심을 가져 보시기를 권합니다.

특히 소설을 읽을 때는 그때그때의 상황을 바라보고 있는 시선의 주체를 찾아보세요. 그리고 그의 시선을 따라 상황을 바라보는 거예요. 그러면 이해도 쉬울뿐더러 시선의 주체와 내가 동일시되어 작품 속 인물과 교감하는 데까지 이르게 됩니다. 이렇게 되면 눈앞에 책 속 세상이 펼쳐져 입체적인 낭독, 나아가 공감을 불러일으키는 낭독이 가능해집니다.

장르를 막론하고 모든 성공작은 독자의 감정을 쥐락펴락한다는 공통점이 있다고 합니다. 독자들이 책을 읽고 머리로만 이해하는 것보다는 감정적인 체험을 더 원한다는 것이지요.

낭독은 그 자체만으로도 여러 감각기관이 동원되는 독서법입니다. 눈으로 읽으며 입으로 말하면 다시 귀로 듣게 되니까요. 여기에 더해 우리의 오감을 조금만 더 활용하면 그야말로 잊혀지지 않을 감정의 경험으로 오래도록 마음에 새겨질 겁니다.

몇 년 전 시각장애인을 위한 봉사활동 중 접한 책인데요. 황정은 작가의 『연년세세』 중 「무명」이라는 단편소설의 첫머리입니다.

이순일은 날아서 눈 더미에 박힌 적이 있었다.

어릴 때였다.

세 살이나 네 살쯤.

눈 속에서 깜짝 놀란 채 밤하늘을 보았다. 깨질 듯 밝은 별이 몇 점 있었고 이순일의 눈과 입은 눈으로 덮여 있었다. 입속에 든 눈은 금세 녹아 목구멍으로 흘러들었다. 이순일이 평생 맛본 것 중 그것과 닮은 맛을 가진 사물은 무명밖에 없었다. 싸늘한 무명. 소색素色실로 짠 그물 같은 맛. 이순일을 눈 더미에서 건진 건 어머니였다. 그랬을 거라고 이순일은 믿었다. 왜 다른 사람이겠는가. 아이를 왜 던지느냐고, 어머니가 누군가를 나무라듯 말했다. 밤에 마루에서 뛰며 노니까, 하고 누군가가 답했다. 마루 끝에 불빛을 등지고 선 사람이 있었다. 아버지였을 거라고 이순일은 믿었다. 왜 다른 사람이겠는가.

— 황정은, 『연년세세』 중에서

이 글을 읽으면서 머릿속에 그림을 그립니다. 무엇이 보이는지 말해볼까요?

"깨질 듯 밝은 별이 떠있는 캄캄한 밤, 서너 살 된 아이

하나가 눈 더미에 박혀 있어요. 마루가 있고, 마루 끝에는 어떤 남자가 서 있네요. 아이 엄마로 보이는 한 여자가 달려 가 아이를 끌어안습니다. 그리고는 그 남자에게 무어라 화를 냅니다. 그리 크지 않은 마당에 좁은 툇마루로 보아 집안 형편이 넉넉해 보이지는 않네요." 하는 식으로 말이죠.

그림이 그려졌으면 이제 여기에 등장하는 인물 중 이 모든 상황을 바라보는 시선의 주인을 찾아볼까요? 눈 더미에 던져진 이순일 같지요? 이 아이의 시선으로 조금 전 그린 그림을 다시 한번 바라봅니다.

자, 바로 지금이 우리의 오감을 깨울 시간입니다. 나의 일상에서 경험했던 시각, 청각, 미각, 후각, 촉각의 오감을 함께 사용해보는 거예요. '눈'하면 무엇이 느껴지나요? 하얗고, 차갑고. 맛까지 보았다면 입속에 넣자마자 녹아버리며 아무런 맛이 없었던 기억이 있지요? 그 감각의 기억을 깨워보세요. 푹신하다고는 하지만 누군가에 의해 던져져 눈 더미에 떨어질 때는 어떤 느낌일까요? 그리고 엄마가 나를 안아 올렸을 때, 내 겨드랑이에 느껴지는 따뜻한 엄마의 체온과 마루 끝에 등지고 선 남자에게서 느껴지는 냉정

함… 이런 감각들을 하나씩 불러내어 읽다 보면 등장인물의 정서가 나에게도 함께 생겨난답니다.

그리고 낭독을 할 때, 문장을 읽는 동시에 머릿속에 그림을 그려보는 거지요.

첫 문장에서는 누가 무엇을 하는지 스케치를 하는 겁니다. 다음 문장이 이어질수록 그림은 더 상세해지고, 하나하나 색칠이 더해지며 동영상이 되기도 합니다. 이렇게 한 문장이 한 편의 그림이 되고, 그 그림들이 모여 이야기가 차곡차곡 쌓여가는 거예요. 사실 텍스트를 이해하기도 훨씬 쉬워집니다. 금방 그림이 그려지지 않을 땐 떠오를 때까지 잠시 기다려 보세요. 자연스럽게 쉬는 시간^{pause}도 생길 겁니다. 듣는 사람에게도 그림을 떠올릴 수 있는 시간을 주는 거고요. 낭독자가 그림을 떠올리며 말을 하면 청자는 들은 대로 그림을 그리게 되는데 이게 바로 말하기의 자연스러운 과정이며, 내용을 쉽게 이해하는 지름길입니다.

낭독하면서 그림을 떠올리는 게 어렵다고 하는 분들을 종종 보게 됩니다. 습관이 되지 않아 그럴 수 있어요. '한번 낭독할 때마다 한 장의 그림만이라도 그려야지' 하고 생각해보세요. 거기서부터 시작입니다. 그렇게 한 장면 한 장면 떠올리다 보면 어느새 나만의 영화가 완성되는 날이 올 테니 염려 마세요. 참, 처음에는 되도록 시각적으로 생생하고 실감나게 표현한 작품에 도전해 보면 더 좋겠습니다.

오감 훈련법: 아침에 마시는 음료

"이렇게 그림 하나 떠올리기도 힘든데 다섯 가지 감각씩이나 깨워야 한다고요?"

사실 우리는 이미 이런 감각 기억에 길들여져 있습니다. 단순한 감각이긴 하지만 아주 신 귤 얘기를 들을 때면 입에 침이 고일 때가 있죠? 이것도 오감의 기억 중 하나예요. 어렵지 않지요?

타고난 감각 기억을 더 발휘할 수 있도록 오감을 깨우는 훈련법 하나를 소개할까 합니다. 리 스트라스버그Lee Strasberg라는 메소드 연기의 창시자가 배우들의 연기 훈련을 위해 고안한 방법인데요. 일명 '아침에 마시는 음료'입니다.

충분한 이완과 집중의 상태에서 진행해야 효과가 있다는 걸 명심하세요.

먼저, 자신이 아침에 주로 마시는 커피나 우유, 주스 중 하나를 준비합니다. 그리고 이게 진짜라는 걸 확인하면서 잔의 무게, 모양, 크기, 질감, 또 잔 속에 들어있는 음료의 감각, 음료의 온도 등을 자세히 관찰합니다. 잔을 쥐었을 때는 손과 손가락의 모양, 손가락과 잔 사이의 공간 등을 잘 봐 두고요. 향도 맡아보고, 잔을 들었을 때는 그 무게로 인한 손과 팔의 변화도 의식해 보세요. 그리고 음료의 맛을 천천히 느끼면서 마신 다음 잔을 치웁니다.

자, 이제 상상으로 잔을 재창조해보는 겁니다.

탁자 위에 잔 하나가 놓여 있다고 상상합니다. 앞에서 마셨던 바로 그 음료가 가득 든 잔입니다. 먼저, 잔에 집중해볼까요? '상상의 잔'의 윤곽을 따라 시선을 움직이면서 전체적인 모양과 크기부터 봅니다. 잔은 무슨 색깔인가요? 그림이 그려져 있나요? 겉면에 흠집은 없는지 꼼꼼히 봐 주세요. 만약 손잡이가 있다면 어떻게 생겼는지 말해 보세요.

다음은 잔을 직접 만져볼게요. 실제로 잔을 만질 때처럼 질감이 느껴지나요? 느껴진다면 정말 잘한 거예요. 이제 잔을 듭니다. 잔을 똑바로 잡고 있는지 쳐다볼까요? 아까 실제로 음료를 마시는 과정에서 관찰했던 손의 모양 등은 상상 속에서 실재적인 잔을 재창조하는 데 필요한 것이지 동작을 기억하고 모방하는 것이 아닙니다. '상상 속에서 보이는 잔'의 모양대로 잡으면 됩니다.

이제 잔의 무게에 집중해볼까요? 잔을 들었을 때 팔 근육의 변화가 느껴지나요? 그다음엔 손잡이를 통해 전해오는 음료의 온도를 느껴보세요. 어느 정도로 뜨겁거나 차가운가요? 손바닥으로 잔을 감싸봅니다. 잔을 이리저리 기울여 봅니다. 음료가 잔의 벽면을 따라 움직이는 걸 바라보세요. 향도 맡아 볼까요? 후각에 집중합니다. 다음은 잔을 입술에 대볼게요. 손으로 잔을 만졌을 때의 온도와 비교해 보세요. 그리고는 향과 함께 따뜻한 온기, 또는 차가운 냉기가 얼굴로 번져가는 것을 느껴봅니다.

이제 마셔볼게요. 다시 한 번 말하지만 음료를 마실 때의 동작이나 입모양을 관찰하고 그것을 모방하는 게 아니라 '상상을 통한 자극'에서 오는 '감각' 자체에 집중하는 겁니다. 음료를 한 모금 머금고 혀를 앞뒤로 굴려 온도와 맛을 음미합니다. 그리고 삼키세요. 다시 한 모금 마셔볼까요? 목구멍을 통해 식도에서 위로 흘러내려가는 그 '느낌'에 집중하세요. 음료를 마실수록 잔의 무게는 가벼워지겠죠?

상상과 집중만으로 음료를 마시는 감각이 충분히 느껴지지 않는다면 다시 실제 음료를 마시며 부족했던 부분에 대한 감각을 느껴본 다음 또다시 상상의 음료를 마시는 과정을 반복합니다.

이렇게 실제 대상을 상상으로 재창조하는 훈련은 낭독을 하면서 혹은 들으면서도 이야기 속 세상을 실제 감각으로 느낄 수 있게 해 주어 독자들이 바라는 '감정 체험'이 가능하도록 도와 줄 것입니다. 그 중에서 가장 흔히 접할 수 있는 음료에 대한 감각 기억 훈련을 알려드렸는데요. 양말이나 신발을 신고 벗을 때, 샤워를 할 때 등의 훈련도 있으니 이 과정을 응용해 보는 것도 좋겠습니다.

이 외에도 뜨거운 여름 해변의 모래사장을 거닐면서 충분히 관찰하고 감각을 느낀 다음, 일반 마룻바닥을 걸으면서 상상을 통해 실제 감각을 떠올려 보는 것도 좋고요. 눈밭이나 낙엽이 떨어진 가을 산책길도 훈련의 도구로 활용해 보세요. 저는 낙엽을 밟을 때의 감각이 선명하지 않아서 지난 가을에는 동네 공원에 수북이 쌓인 낙엽을 밟아 보았습니다. 습기를 머금어 축축하면서도 푹신푹신한 그 느낌과 사각대는 소리, 새삼스럽게 내가 살아있다는 걸 느낄 수 있었습니다. 낭독을 위해서가 아니어도 오감을 일깨우는 순간이 주는 감동도 있으니까 감각 기억 훈련을 꼭 한번 시도해 보세요.

이처럼 상상으로 감각을 떠올리기 위해서는 무엇보다 집중이 필요한데요. 사실 이 훈련의 원래 목적은 오감을 깨우는 동시에 배우들의 집중력을 키우기 위한 것이었답니다.

이렇게 일상에서 지나칠 수 있는 여러 감각을 일깨우는 훈련을 하다 보면 감각에 보다 민감해지고 상상의 대상이나 상황(자극)에도 오감을 소환할 수 있습니다. 오감을 동원한 낭독은, 머리로 책의 내용을 이해하는 데만 그치지 않고 신체의 감각을 사용해서 직접 경험한 것과 다름없는 감정적 체험을 할 수 있도록 도와줄 것입니다.

낭독은 읽기? 말하기?

대학원에서 연기를 전공할 때 연극연출가인 안민수 교수님의 수업을 들은 적이 있습니다. 늘 입버릇처럼 학생들에게 하시던 말씀이 "말을 해~"였어요. 우리 모두 매일 넘치도록 말하고 있고, 더구나 저는 방송 현장에서 일하고 있는 성우였기 때문에 그런 말을 들을 때면 의아하기도 하고 자존심도 상했습니다.

교수님은 "너희들뿐 아니라 현재 드라마나 방송에도 말을 제대로 못하는 연기자가 허다하다"며 개탄하곤 하셨습니다. 마치 제가 성우라는 직업군에 먹칠을 한 것 같아 부끄러웠어요. 그때부터 '말을 한다는 건 뭘까' 하고 고민하기 시작했습니다. 연기에서 비롯된 이 '말하기'에 대한 고민은 낭독도 말이어야 하지 않나, 하는 생각에까지 이르게 됐습니다. 정확히 말하자면 책을 읽는 낭독에 국한된 것이었지요. 방송에서의 낭독, 즉 내레이션은 대부분 구어체이기도 하고 시청자나 청취자가 있기 때문에 표현에 큰 어려움이 없었습니다. 하지만 책은 대부분 문어체이고 길게 서술된 경우가 많다 보니 자연스럽게 말하듯 표현하기가 어려웠던 거죠.

때마침 저와 비슷한 고민을 하던 성우들과 연출가가 있다는 걸 알게 되었습니다. 그렇게 시작된 낭독 모임은 지금까지 9년째 이어져오고 있고요. 게다가 낭독 수업을 2년 넘게 진행하며 낭독에 푹 빠져 살다 보니 더욱 확신이 생기더군요.

'낭독은 읽기가 아니라 말하기'여야 한다고요. 말을 해야 확실히 잘 들립니다. 그건 아마도 책이 작가가 하고 싶은 '말'을 문자로 옮겨 놓은 것이기 때문일 겁니다.

낭독이 읽기가 아닌 말하기가 되려면 어떻게 해야 할까요?

 《 안민수 교수님은 "실생활에서 우리가 말을 할 때는 어미가 떨어지지 않는다."고 말씀하시곤 했습니다. 같은 상황에 대한 여러 가지 표현을 예로 들어볼게요. 지면이다 보니 정확한 어조를 표현하지 못하는 한계를 감안하시기 바랍니다.

(1) 물어볼 때: "밥 먹었니?" ↑

(2) 설명할 때: "밥 먹었어." →

(3) 느낌을 표현할 때: "밥 먹었구나!" ↑

(4) 함께 하기를 요청할 때: "밥 먹자." ～

(5) 시킬 때 : "밥 먹어." ↗

어미가 떨어지지 않지요? 다큐멘터리나 실제 대화를 관심 있게 들어보면 쉽게 알 수 있습니다.

저는 방송일을 시작하기 전까지 사투리를 썼습니다. 그리고 경상도 억양은 어미가 떨어진다고만 생각했습니다. 그래서 저 역시 사투리 억양의 영향을 받았겠거니 싶었지요. 하지만 경상도 사람들의 대화를 녹취해서 들어보고 깜짝 놀랐습니다. 경상도 말조차도 액센트가 강할 뿐이지 어미가 떨어지지는 않는 거예요. 잘못 알고 있었던 겁니다. 그렇다면 어미만 떨어뜨리지 않으면 제대로 된 말을 하는 걸까요?

'말'은 누군가에게 자신의 생각이나 감정을 표현하고자 하는 욕구에 의한 행위입니다. 다시 말해 말하고자 하는 목적이 있고, 말하고 있는 대상이 있는 거죠. 명확한 의도로, 분명한 의지를 가지고 구체적인 대상을 향해 자신의 생각이나 감정을 전달하려 할 때 진정한 말하기가 되는 겁니다. 말하기로써의 낭독도 마찬가집니다. 누구에게, 어떤 이야기를, 왜 해야 하는지 정확히 알고 전달할 때 말하는 낭독이 될 수 있습니다.

나에게 낭독이란?

1992년에 CM성우로 데뷔했으니 성우가 된지 벌써 30년이 되었습니다. 성우가 하는 일(라디오 연기, 더빙, 내레이션, 오디오북 녹음 등)의 대부분은 소리 내어 읽는 것, 바로 낭독이 기본입니다. 낭독은 제게 숨을 쉬고 밥을 먹는 것만큼이나 일상적입니다. 그래서일까요, 낭독이 얼마나 좋은 것인지 그리고 얼마나 중요한지 의식하지 못했던 것 같아요.

저는 사십 대의 막바지에 망막박리로 수술을 한 적이 있습니다. 수술 후 한 달 이상 엎드려 있어야 했는데 그때 유일하게 할 수 있었던 것이 '듣는 것'이었습니다. 캄캄하고, 두렵고, 무엇도 위로가 되지 않던 때에 오디오북이 그 시간을 함께해 주었습니다. 그때 결심했습니다. 오디오북으로 나도 누군가에게 위로가 되어주어야겠다고요. 내가 다시 시력을 되찾을 수만 있다면, 무언가를 읽어낼 수만 있다면 낭독을 통해 누군가와 소통하리라고요.

낭독 수업을 한지 얼마 지나지 않아 한 수강생이 제출한 『그 많던 싱아는 누가 다 먹었을까』를 들을 때였어요.

'늘 코를 흘리고 다녔다.'라는 첫 문장을 듣자마자 마음이 끌렸습니다. 계속 듣다 보니 재미있었고, 어느 순간부터 다음 내용이 정말 궁금해져서 과제를 기다리게 되더군요. 그리고 어느 샌가 그녀가 읽어주는 1940년대 박적골에 들어가 있는 나를 발견하게 되었습니다. 할아버지의 사랑을 듬뿍 받고 자란 여자아이의 당당함과 고향에 대한 자부심이 목소리에 그대로 묻어났으며, 주인공이 자라난 마을의 정경이 눈앞에 펼쳐졌고 가족 친지간의 정겨움도 고스란히 느껴졌습니다. 내가 직접 눈으로 읽을 땐 어떻게 받아들여

"낭독은 다소 느릴 수는 있지만
놓치는 건 없답니다.
상황에 딱 들어맞는
절묘한 표현이나 마음에 와 닿는
의미심장한 구절들…"

질지 궁금해서 당장 책을 구입했어요. 하지만 이내 덮어버리고 말았습니다. 그녀가 읽어준 세상과 달랐기 때문이에요. 그녀의 낭독으로 그 책을 완독하고 싶었습니다. 처음에는 마치 그녀 자신이 직접 겪은 이야기를 듣는 듯했고 나중에는 뭔가를 그녀와 함께 경험한 것 같은 착각이 들기도 했습니다. 맞아요, 저는 그녀가 들려주던 그 세계를 함께 경험했던 겁니다. 이런 것이 공감이고 소통이겠죠? '책은 독자에게 가닿아 한 권 한 권 새로 쓰여진다'는 한강 작가의 말처럼, 같은 책이어도 읽는 사람에 따라 느낌이 달라질 테니 낭독자마다 새로이 그려지는 세상을 함께 공유할 수 있다는 건 낭독의 가장 큰 장점이 아닐까 싶습니다.

이것이 제가 청자로서 느낀 낭독의 좋은 점이라면 낭독자로서 누릴 수 있는 장점도 있습니다. 바로 카타르시스입니다. 낭독을 하는 순간, 몰입을 통해 책 속 세상을 경험하고 책 속 인물들과 공감하게 되면 묘한 카타르시스를 느낄 때가 있습니다. 이것은 우리가 평소에 말할 때 자신의 목소리를 신경쓰지 않는 것처럼 낭독하는 자신을 의식하지 않고, 책의 내용을 이야기하고 있는 자신만이 존재할 때 비로소 가능해집니다. 오로지 책 속 세상에 관해 이야기하고자 하는 목적과, 대상이 있을 뿐이지요. 그때는 낭독하고 있는 자신의 목소리가 거의 들리지도 않습니다. 물론 집중과 몰입이 필요하다보니 낭독을 할 때마다 쉽게 카타르시스를 느낄 수 있는 건 아니지만 저는 늘 이런 순간을 기대하며 낭독을 합니다. 그리고 이 경이로운 경험을 많은 사람들에게 전파하고 싶어 낭독을 권하고 있고요.

낭독은 다소 느릴 수는 있지만 놓치는 건 없답니다. 상황에 딱 들어맞는 절묘한 표현이나 마음에 와 닿는 의미심장한 구절들… 그런 문장들을 음절 하나하나 놓치지 않고 그 음가를 제대로 발음해 곱씹다보면 밥알을 꼭꼭 씹어야만 그 본연의 단맛을 맛볼 수 있듯 우리말이 지닌 음악적 아름다움도 느낄 수 있습니다. 또 단어 하나하나 의미를 되새겨보면 '참 예쁘고 소중한 말이구나.' 싶을 때도 있고, 진리마저 깨달을 때도 있습니다.

처음엔 다소 서툴고 부끄러울 수도 있지만, 나를 바라봐주고 나에게 귀 기울여주는 사람들이 있다는 걸 잊지 마세요. 지금 바로 옆에 있는 책을 펴고 소리 내어 읽어보세요. 그리고 낭독이 주는 즐거움을 만끽하시길 바랍니다.

낭독은 놀이다

1995년 KBS 25기 성우. '뿌린대로 거둔다'는 말처럼 심플하게, 하지만 너무 애쓰지는 않으며 사부작사부작 낭독하고 놀고 싶다. 다정하고도 쾌활하며 때로는 무모하고 여린 면모들 속에서 균형을 잃지 않으려 노력한다. 서강대학교 대학원에서 언론학을 공부했고, 여러 방송과 홍보 내레이션, 라디오 드라마, 더빙, ARS 목소리로 우리에게 친숙하다. 사람과 동식물, 환경에 관심이 많고 그들의 목소리에 늘 귀를 기울인다.

말하듯이 낭독하라고요?

"아니요, 국어책 읽지 마시고요. 이야기하듯 해 보세요"

"우리가 일상에서 말하는 건 자연스럽죠? 낭독에도 좀 적용시켜 보시라구요!"

낭독 배우는 분들은 아마 한두 번쯤 이런 얘기 들어보셨을 겁니다. 낭독 선생들이 제일 많이 하는 말이라서요. 근데 참 답답하시죠? 그놈의 '말하듯이'가 뭐길래!

무슨 뜻인지 영 이해가 안 가는 분도 계실 거고, 머리로는 알겠지만 내 입이 의지대로 움직이지 않는 분, 또 어느 정도로 느낌을 살려야 하는지 수위 조절에서 갈피를 못 잡는 분도 계실 거예요. 실제 수업을 하다 보면 이 '말하듯이 읽으라'는 주문 앞에서 어찌할 바 모르고들 쩔쩔 매십니다.

저는 이럴 때 최근의 카카오톡 메시지 창을 한 번 열어 보자고 말씀드려요. 그리고 메시지가 오갈 당시의 내 생각과 감정을 떠올리며 읽어 보라 주문해요. 내가 그때의 나를 연기하는 거죠. 그러면 그 상황에 다시 놓인 것처럼, 혹은 그때보다 더 리얼하게 연기해 내는 분도 있고요, 자신의 메시지임에도 표현하는 게 낯선 분은 어색한 읽기에 머물기도 하지만 그럼에도 불구하고 모든 분이 아주 재밌게 참여하세요. 그렇게 '카톡 내용 연기하기'로 한바탕 즐긴 후에는 같은 내용을 한 번 더 되풀이하는데 이번에는 문장의 끝을 '다'로 바꿔봅니다.

'선생님, 동기님들과 함께라서 올 한해가 더욱더 풍성했어요. 새해 복 많이 받으시고, 축복받는 멋진 한 해가 되시기를 바랍니다.'라는 메시지를 먼저와 똑같이 연기하되 "선생님, 동기님들과 함께라서 올 한해가 더욱더 풍성했다. 새해 복 많이 받으시고, 축복받는 멋진 한 해가 되시기를 바란다."처럼 종결어미만 바꾸는 거죠. 그러면 또 한 번 웃음바다가 됩니다. 아주 자연스러운 연기, 그러니까 '말'을 하다 마지막에 '다'로 끝내버리니 얼마나 어색하고 우스꽝스럽겠어요? 그런데 이것도 자꾸 하다 보면 상황에 딱 맞는 표현 정도를 찾아가시더라고요. 그리고 우리는 이 두 과정을 다 녹음한 후 들어봅니다.

이 놀이를 통해 여러분에게 하고 싶은 이야기, 결론부터 말할까요?

저는 여러분이 '세상 모든 글은 이야기다. 그래서 낭독은 글을 읽는 게 아니라 이야기를 말하는 것이다' 라는 것을 아셨으면 좋겠어요. 눈으로 볼 때는 글이지만 입으로 발화發話하는 순간 말이어야 한다는 것을 받아들이셨으면 좋겠어요. 그것을 조금 재미있게 경험하기 위해 우리가 일상에서 편하게 주고 받는 말과 흡사한 카톡 메시지를 읽어 보는 거고요. 카톡 메시지도 본인이 작가가 되어 쓴 글이고 책입니다. 본인의 작품을 소리 내 읽는 순간 글은 다시 생생히 살아 움직이는 이야기가 됩니다. 조금 더 자세히 얘기해 볼게요.

친구들에게 하듯 편안한 관계에서 주고받은 여러분의 말에는 의식하지 않았지만 속도, 강조, 사이(쉼), 어미 처리, 어조, 자연스러운 리듬, 그 외에도 좋은 낭독에 필요한 여러 조건이 참 잘 녹아 있습니다.

초등학생이 국어책 읽듯 뚝뚝 끊어 읽지 않고, 내가 느끼는 의미 다발로 묶어서 말하겠죠. 그러다 호흡이 모자랄 땐 뜻이 달라지지 않는 선에서 크게도, 작게도 쉬어 가고요. 시시각각 변하는 생각과 감정을 잠시 멈추고 싶을 땐 거기 머물러 정리한 후 다음 말을 뱉을 준비가 됐을 때 마저 이어 갑니다.

그럼 말할 때의 속도는 어떨까요? 보통 속도로 시작했다가 이야기 내용에 따라 약간 빨라지기도, 또 약간 느려지는 듯하기도 합니다. 스스로 완급을 조절하며 빠르고 강하게, 혹은 잠시 사이(쉼)를 두고 필요한 곳에서 강조도 하고요. 조사나 어미 역시 매번 같은 패턴으로 맺지 않고 자유롭고 다양하게 활용합니다.

말의 여러 조건과 과정은 톱니바퀴가 맞물려 돌아가듯 아주 자연스럽게 이루어집니다. '톱니바퀴가 돌아간다'는

"저는 여러분이
'세상 모든 글은 이야기다.
그래서 낭독은 글을 읽는 게 아니라
이야기를 말하는 것이다'
라는 것을 아셨으면 좋겠어요."

인식조차 하지 못할 거예요. 이것이 우리가 매일 하고 사는 자연스러운 말하기입니다. 여러분은 이미 말하기 선수, 전문가들이에요. 창작해낸 메시지를 상대방과의 대화에서 이루고 싶은 목적에 맞게 최대한 효과적으로 세팅해서 전달하고 있으니까요.

낭독도 이런 일상의 말하기와 똑같습니다. 낭독자는 마치 작가의 말이 내 이야기인 것처럼 하는 거예요. 작가의 생각과 감정의 결과물을 내 머릿속에서 나온 내 이야기로 소화해서 받아들인단 거죠. 그러면 이야기가 시작되고 이어지다 고조되며 끝나는 그 순간까지 낭독자는 이야기를 조율하며 춤을 추듯, 그때그때 변화하며 흐르는 물처럼 이야기하게 됩니다.

그러니 나의 낭독이 어딘지 모르게 부자연스럽다고 느낀다면 카톡을 열어 낭독해 보세요. 아니 이야기해 보세요.

그러면 글을 이야기로 받아들이지 못해 글씨들만 읽어대는 실수는 하지 않을 겁니다. 고르게 썰어 놓은 무채마냥 맞춤법상의 띄어쓰기대로 고르게 끊어 읽는 대신 여러분이 생각하고 느끼며 호흡하는 이야기 덩어리대로 묶고 띄고

쉴 수 있을 거예요. 강조하는 대상을 정확하게 알게 되니, 그릇되게 강조하거나 아예 강조를 못 하게 되지도 않을 겁니다. 당연히 말의 어조와 리듬도 천편일률적이지 않고 자유롭고 다양하게 드러날 거고요.

삶의 모든 것이 그러하듯 여러분의 낭독도 이야기를 따라 자연스럽게 흘러갈 겁니다.

몸으로 말해요

글을 읽다 보면 쓴 사람이 고스란히 드러날 때가 있죠. 낭독도 그렇습니다. 낭독자가 어떤 성향의 사람일 거라는 짐작이 들어맞을 때가 많아요.

학생들과 낭독을 하다 보면 마치 글의 장면을 저에게 중계하듯 생생하게 표현해내는 분들이 있지만 그렇지 않은 분들이 더 많습니다. 그분들에게 저는 "모든 글은 이야기고 말이에요. 이야기는 꺼내어 잇고 절정을 맞고 마무리하는 과정이 있잖아요? 평소 우리 일상의 말도 마찬가지고요.

그러니 책 속 이야기를 여러분의 이야기라고 상상하세요. 어떤 내용이든 말이에요. 그러면 낭독에 흐름이 생길 거예요."라고 말씀드리는데 그러면 변화가 생기기도 해요.

그런데 이렇게 저렇게 바꿔서 전해도 바뀌지 않는 분들이 있어요. 강조도 없고, 띄어쓰기대로만 잦게 끊어 읽고, 어미나 조사 처리 패턴이 일정해서 밋밋한 낭독을 이어가곤 합니다. 그분들은 표정 변화도 많지 않으세요. 얼굴에 있는 근육들을 거의 사용하지 않으시죠. 가만히 지켜보다 "혹시 평소 감정표현이 많지 않다고 생각한 적 있으세요?" 아니면 "기복 없이 무던한 편이신가요?"하고 물으면 대답 대신 멋쩍은 미소를 보내옵니다.

그야말로 감정의 높낮이가 거의 없는 성향이어서 주위 사람들이 답답해하는 경우도 더러 있었다고 하기도 하고, 표현을 충분히 하고 있다고 생각했지만 남들이 보기엔 여전히 무미건조하다는 분, 마음속 불덩이를 꺼내 시원해지고 싶은데 자신도 어찌해야 할지 모르겠다는 분들도 있죠.

이런 성향들이 낭독에 고스란히 드러난다는 게 신기하죠? 잠깐이라면 몰라도 거듭되는 말과 행동에는 나의 생각과 감정이 그대로 묻어납니다. 나 따로, 낭독 따로는 있을 수 없어요. 본인 생긴 대로, 살아온 대로 나오는 게 낭독이에요.

하여튼 이런 분들에게는 '목소리 대신 몸으로 말씀하시라'고 합니다. 청각장애인을 위해 수화를 한다고 상상하고 글의 내용과 정서를 상대가 정확하게, 그리고 충분히 느낄 수 있도록 눈으로, 눈썹으로, 코로, 입 모양으로, 광대로, 손으로, 동작으로 설명하시라고 해요. 본인이 할 수 있는 최대한 크고 과하게 말이에요.

벅벅 할퀴는 소리가 있다. 문득 보니 교실 문이 벙싯하였고, 개의 발이 방금 문을 할퀴는 중이었다. 검은 털 속으로 뿌하게 나온 발톱이란 칼끝보다도 더 예리해 보인다. 이스근해 문이 열리고 귀가 덥수룩히 늘어진 검정 개 한 마리가 덥씬 들어온다. 구슬구슬한 털이랑 기름한 눈하고 뾰죽히 튀어나온 주둥이며 뚱뚱하고도 늘씬한 허리가 일견 위풍이 늠름했다. 학생들은 눈이 둥그래서 바라보고 그중에는 웃는 애까지 있었다. 칠판에 썼던 글을 지우던 선생이 학생들의 웃음소리에 귀가 띄어 머리를 돌리니 검둥이가 꼬리를 치며 달려온다.

— 강경애, 『검둥이』

이 글을 여러분도 몸으로 말해 보시겠어요? 입 모양은 글자대로 움직이되 소리는 내지 마세요. 목소리를 대신할 수단을 여러분 몸에서 얼른 찾아 표현해 보세요.

보이면 보이는 대로
들리면 들리는 대로
냄새 맡아지면 맡아지는 대로
살갗에 느껴지는 촉감대로
맛이 느껴지면 그 맛을
소리를 대신해 여러분의 소중한 몸으로 말해 보세요.
어때요? 쑥스러워서 쥐구멍 찾는 중이라고요? 하지만 몸도 표현의 도구예요. 상대에게 말의 내용만 전달하는 게 아니잖아요. 메시지는 여러분의 말, 표정과 몸으로 동시다발적이고 유기적으로 표현됩니다. 삐딱하게 기대 앉은 자세, 완고한 팔짱, 지루한 눈빛을 하고 연인에게 '사랑해'라고 말한다면 그 진심은 전혀 통하지 않을 거예요.

유치하고 어색하게 느껴지더라도 집중력이 짧은 어린아이에게 이야기하듯, 혹은 소리를 들을 수 없는 환경에 계신 분과 대화하듯 최선을 다해 몸으로 소통해 보세요.

몸의 표현이 풍부해지고 익숙해지면 텍스트를 상상하고 그리는 능력도 좋아져서 낭독이 훨씬 자연스러워집니다. 마이크 앞에서도 입과 얼굴 근육을 써서 메시지를 섬세하게 느끼고 표현해낼 수 있습니다.

자신이 만든 틀의 한계를 훌쩍 뛰어넘어 보세요.

낭독은 나를 통해 표현하니 결국은 나를 드러내는 일이에요.

그 과정에서 일어나는 일들을 즐기는 게 낭독이잖아요.

활짝 열려 있는 표현의 세계가 오히려 당신을 더 자유롭게 해 줄 겁니다.

칙칙폭폭~ 기차놀이 아세요?

어릴 때 친구들과 기차놀이를 자주 했어요. 지역마다 조금씩 규칙이 다른 것 같기도 한데 저희 동네에서는 여러 명이 한 줄로 기차처럼 서요. 그리고 앞사람 허리를 잡고 맨 앞에 선 대장이 이끄는 대로 빨리 달리고 걷기도 하면서 다른 기차들을 피해 다니는 거예요. 그런데 그 놀이에서 이기려면 잘 피하는 동시에 상대 기차의 맥을 끊어 놔야 해요. 끊겨 나간 사람들을 다시 우리 기차 꼬리에 붙이고 배가 아프도록 깔깔거리며 놀았던 기억이 있어요.

요즘도 저는 학생들과 가끔 기차놀이를 합니다. 직접 만나기 어려운 요즘엔 온라인 화상 미팅으로 하는데요. 낭독할 글을 나눈 다음에 자기 순서가 되면 읽는 거예요. 단락이 바뀌는 지점에서 나누기도 하지만 한 단락 안에서 그야말로 마구잡이로 나누기도 해요. 그리고 나선 그냥 소리 내 읽어요. 물론 그 전엔 우리만의 의례가 하나 있습니다.

먼저 책에 대해 같이 이야기합니다. 어떤 내용인지, 그

중 특별히 와 닿은 부분은 어디인지, 어떤 느낌이 들었는지, 한 마디로 작품을 표현한다면, 또 한 단어로 정리한다면 무엇이 떠오르는지처럼 우리가 작품에서 느꼈던 감정을 나누죠.

그리고는 조금 더 섬세하게 다가가는 작업을 합니다. 작품에서 이야기를 하는 사람, 즉 화자가 무엇을 경험하며 그 속에서 무엇을 생각하고 느끼는지, 시간과 사건의 흐름에 따라 변화하는 그의 감정의 빛깔. 그것은 또 얼마나 크고 깊은지를 충분히 알아봐요. 소설이든 에세이든 이야기를 화자 입장에서 생각하고 느끼려는 노력을 하는 거예요.

첫 번째 작업이 책과 낭독자 사이에 일정한 거리를 두고 감상한 것이라면 다음 작업은 글 속에서 이야기하고 있는 사람, 즉 화자의 시선이 되어 느껴보는 작업인 거죠. 표현이 추상적이라 미안해요. 하지만 낭독을 얘기하는 데 딱딱 맞아떨어지는 수치로 얘기할 수 없는 걸 이해해 주시면 좋겠어요.

첫 번째 기차놀이에서는 다들 어떻게 낭독했을까요?

"삶의 모든 것이 그러하듯
여러분의 낭독도
이야기를 따라 자연스럽게
흘러갈 겁니다."

이야기와 화자를 그렇게 열심히 알아갔지만 정작 긴장이 더 커서 목소리가 떨려옵니다. 영상으로 만나는 저한테까지 느껴질 정도니 어느 정도인지 짐작이 가실 거예요. 시원하고 자연스럽게 뻗던 목소리가 모기 소리가 되고요, 잔뜩 굳어 있죠. 그리고 오독이 시작됩니다. 때론 잘못 읽은 걸 알아챌 틈도 없이요. 또 엄청나게 빨라지기도 하고, 내 호흡량 안에서 한 다발로 묶어 이야기하고 여유 있게 쉬던 것들을 모두 잊고 다시 글씨만을 읽기 시작해요. 그러니 강조도 잘못하거나 사라져버리고, 어조도 부자연스럽고 리듬도 찾아볼 수 없죠. 모든 것이 균일하고 일정한 무채 낭독을 하는 거예요.

낭독자도 압니다. '큰일 났다!'

하지만 이제 여유가 없습니다. 앞사람의 말이 들리지 않게 됩니다. 그러니 앞사람의 호흡과 느낌의 연장선에서 내 얘기를 풀어가지 못하고 독불장군 낭독을 하기도 합니다. 또 앞사람이 너무 잘한 것같이 느껴지면 주눅 들어 원래 실력의 절반도 나오지 않고요. 상대는 '도'로 던졌는데 나는 '솔'로 받아치는 일들이 자꾸 생겨요. 남 앞에서 낭독할 때

갖는 기본적인 긴장감에 앞사람 낭독을 이어가야 한다는 부담감까지 더해지니 다들 마음속이 어떻겠어요? 그래서 '그냥 따로 낭독하시게 할 걸 그랬나?' 싶기도 했습니다.

그런데 두 번 세 번, 기차놀이를 거듭할수록 변화가 생겨요. '내가 이만큼 떨고 있구나.' 긴장감을 느끼고 인정하면서 나의 감정을 직면하려는 노력이 시작되고요. 마음을 여는 여유가 조금씩 생겨 앞사람의 낭독을, 그러니까 말을 듣고 그 호흡에 참여하기 시작합니다. 낭독으로 대화가 생겨나는 거예요. 앞사람 말을 열심히 듣다 내 얘기할 부분을 놓치기도 하지만 이 역시 과정이지요.

앞사람 낭독이 끝나면 그의 이야기 흐름 안에서 자신의 말을 서툴게라도 풀어 놓아요. 이야기가 자연스레 이어지는 부분이면 은근슬쩍 앞사람의 호흡을 이어서 곧바로 시작하기도 하고, 사건이나 감정이 바뀌는 부분이면 필요한 만큼 쉬거나 호흡을 달리 뱉거나 빠르기의 변화를 주기도 하면서 자신의 낭독을 이어 갑니다.

이 모든 게 상대의 말이 나에게 들리기 시작하면서부터 나타나죠. 그리고 더 신기한 건 과정이 반복되면서 여러 명이 읽어도 한 사람이 낭독하는 것처럼 느껴진다는 거예요.

　독불장군이 되어 '나만 잘났다!'고 외치지도 않고, 상대 낭독에 압도돼 내 이야기 주머니를 닫아버리지도 않아요. 앞사람 말의 빠르기, 쉼, 강조처럼 그의 이야기가 내뿜는 에너지를 충분히 느끼고 받아들여 내 이야기로 끌어들이고요. 그 연장선에서 내 이야기를 자연스럽게 시작하니 한 사람이 낭독하는 것처럼 들릴 수밖에요. 그러니 일단 눈을 감고 상대의 이야기를 들어보세요.

　졸졸 흐르는 가느다란 시냇물에 여러 지류가 합류하면 시냇물은 점점 불어나며 힘차게 흐릅니다. 기차놀이도 앞사람을 믿고 그가 어떻게 움직일지 섬세하게 느끼며 허리춤을 잘 붙들고 일사불란하게 움직여야 게임에서 이길 수 있고요.

　함께 호흡하는 재미, 그리고 공간을 꽉 채우다 못해 터질 듯하게 팽팽한 하나의 에너지가 주는 카타르시스를 알게 된다면 당신은 이 기차놀이에서 빠져나올 수 없을 거예요. 누군가와 만난 그 시간이 무료할 때, 의미 있으면서도 재밌게 놀고 싶다면 여러분도 그냥 한번 해보세요.

책 한 권과 인터넷. 그리고 서로에게 집중하려는 노력만 있다면 세상 어느 곳에 있는 친구와도 즐겁게 놀 수 있으니까요.

온라인 낭독회

"어떡해요. 판이 이렇게 커질 줄 몰랐어요."

얼마 전 낭독 수업 중 한 수강생이 아주 다급하게 외쳤습니다. 다른 분들도 고개를 위아래로 열심히 끄덕끄덕. 격하게 공감하시더라고요. 걱정과 기대의 감정이 어찌나 표정들에 생생하게 담겨 있는지, 저는 "아니 낭독할 때도 이렇게 좀 하시지 그래요? 방금 하신 말에 진심이 가득 담긴 것처럼 말이에요. 이게 '말'이에요!"

말할 당시에 어떤 생각과 감정이었는지, 거기서 생겨난 메시지("어떡해요. 판이 이렇게 커질 줄 몰랐어요.")가 눈과 입과 표정으로 어떻게 표현됐는지, 그래서 낭독에 '진심'을 어떻게 담아야 하는지에 대해 그야말로 말 꺼낸 분들 본전도

못 찾게 고정 레퍼토리로 응수해 버렸죠.

그분들은 온라인 낭독회를 준비하고 있었어요. 9개월 동안의 배움을 정리하는 졸업기념회 같은 성격인데요. 어느 출판사의 낭독회에 다녀오신 수강생 한 분이 '너무 좋더라. 우리도 한번 해보면 어떨까?'라고 제안하며 시작됐습니다. 코로나 시국인데다 외국에 사는 수강생도 계시니 온라인으로 하자, 이렇게 된 거였죠.

가볍게 꺼낸 말에 살이 붙어 진짜로 진행되게 생겼어요. 그리고 아무리 온라인이라지만 낯선 사람들 앞에서 공연이라니 얼마나 긴장되고 도망가고 싶겠어요? 더구나 각자 직업과 관심 쏟아야 하는 일상이 떡하니 버티고 있는데 말이에요. 그래서 다들 으싸으싸 뭉쳤던 처음의 기분 좋은 떨림 대신 어깨를 짓누르는 무게감만 남아 있던 시점이었습니다.

규모와 형식이 어떠하든 공연은 프로라 불리는 저희에게도 부담스럽습니다. 그래서 그분들의 마음을 너무나 잘 알았지만 그래도 시도하고 해내지 않으면 결코 알지 못하는 것들이 있잖아요. 저는 그분들이 낭독회를 경험하고 나면 '나에게 들려주는 낭독'이 아닌 '타인에게 잘 가닿기 위한 낭독'에 대한 생각이 좀 더 구체화되고 성숙해질 거란 확신이 있었습니다. 게다가 혼자가 아니라 함께 하는 거잖아요. 혼자 하면 시도할 엄두조차 내기 힘든 낭독회를 함께하기 때문에 경험할 수 있게 되고요. 그러니 조금 부담스러워도 우리는 이 새롭고도 의미 있는 과정을 충분히 경험할 필요가 있었습니다.

우리는 리더를 정했어요. 리더의 지휘하에 할 일들을 추리고 역할을 분담하며 준비해 나갔습니다. 준비해야 할 것들이 꽤 많더라고요. 먼저 낭독회 구성에 대해 많은 애기를 나눴습니다. 재밌다고 느끼지는 못하더라도 최소한 관객들이 지루해하지 않는 낭독회를 만들자 다짐했거든요. 직관이 아닌 온라인으로 이루어지는 행사잖아요. 그러니 더더욱 '관객 마음 붙잡아 두기'가 중요했습니다. 공부한 글 중에 적당한 내용, 장르를 추려 배치하고 낭독자를 정했어요. 혼자 하기도 하고 둘이서 나누기도 하고 또 모두 함께, 관객들과 낭독하는 코너도 계획했습니다. 낭독에 감동을 더해줄 음악과 효과음도 준비했고요. 공연할 때 관객에게 보여질 화면과 시간 배분, 어디에 어떻게 홍보하면 좋을지도 얘기했습니다.

각자 다른 삶의 무대가 있는 사람들이, 더구나 한 번도 직접 만난 적이 없었던 사람들이 어떻게 정규 수업도 아닌 그 시간을 함께 준비할 수 있었을까. 지금 생각하면 현실감 없게 느껴질 만큼 신기하기도 합니다. 이것이 낭독이 가진 힘일까요? 하여튼 우리는 차곡차곡 시간을 쌓아 나갔고 어김없이 그날은 왔습니다.

모두 말도 아니었어요. 리허설은 한마디로 엉망이었습니다. 진행자, 낭독자, 하다못해 잠깐 인사만 할 예정인 저까지도 긴장해 자꾸 오독을 하고 호흡이 이어지지 않고 말도 매끄럽지 못했고요. "한 명도 안 들어오면 어떡하죠?" "너무 많이 들어오면 어떡해요?" 이런 말도 안 되는 걱정들까지… 무대를 열기 직전의 긴장감이 우리에게도 찾아온 거죠. 걱정과 두려움, 설렘이 뒤섞여 있었던 그때, '있는 그대로 마주하고 최선을 다해 즐겨 보자'며 우리 스스로를 다

독였던 것 같아요.

　그렇게 아마추어 낭독인들의 온라인 낭독회가 시작됐습니다. 행사는 대성공이었어요.

　60여명에 달하는 관객의 대부분이 낭독에 관심 있는 분들이어서 그런지 아마추어 낭독자들의 열연을 너그럽고 신선하게 받아들여 주셨어요. 낭독자의 긴장과 그의 흐름까지 좀 더 적극적으로 느끼는 듯한 분들도 계셨고요. 오히려 아마추어라 소리에 함몰되지 않고 더 진정성 있게 들렸다는(프로라 불리는 낭독자들이 새겨들어야 하는) 말씀을 하신 분들도 계셨습니다.

　참 좋았습니다.

　처음 행사 기획할 때의 패기도, 도망치고 싶은 마음을 경험하는 것도, 없는 시간 만들어 가며 몰두하는 모습도, 무엇보다 '함께'의 가치를 저보다 더 잘 아시는 것 같아 좋고 감사했습니다. 우리는 기차놀이로 서로의 가치와 유대를 확인했어요. 함께 호흡하는 즐거움과 내가 조금 미숙하더라도 나를 든든하게 받치고 있는 사람들을 경험했어요. 그리고 낭독회를 통해 우리 사이를 연결해 주고 있는 끈이 더 길어진 것을 느꼈습니다.

홀로 정직하게 나에게 들려주는 낭독도 좋고 친해진 사람들끼리 세상 편한 파자마 입고 즐기는 낭독도 좋습니다. 하지만 가끔은 나다운 모습이 잘 드러날 수 있도록 가진 중에 가장 좋은 옷을 꺼내 입고 정성스레 화장도 하고 예의를 갖춰 손님을 맞을 필요도 있습니다. 내가 지금 어디로 가고 있는지, 잘 가고 있는지 그들이 확인시켜 줄 수도 있으니까요.

아이와 함께

제가 좋아하는 동네 꼬마가 있어요. 이제 중2가 됐으니 꼬마라 하기엔 너무 자랐죠. 그래도 제 눈엔 항상 맑고 예쁜 아이로만 보여 '꼬마'라고 부르다 하도 발끈해서 이제는 '운양동 중딩'으로 고쳐 불러주는 질풍노도의 친구입니다.

저는 그 친구를 후배에게서 소개받았어요. "언니~ 얘

한테 낭독 좀 가르쳐주세요! 도대체 말을 못 알아들어요!"
하고 SOS가 온 거예요. 아이가 제 나이에 알아야 할 단어의
뜻을 모르고 문장도 잘 이해하지 못한다고요. 시험지를 여
러 번 읽어도 뭘 묻고 있는지 핵심을 모를 때가 있더래요.

　　그렇게 해서 운양동 중딩은 일주일에 한두 번, 책을 한
권씩 들고 저희 집에 옵니다. 자기가 읽고 싶은 만화책이나
웹소설을 들고 올 때도 있고, 중학생이 읽어야 할 필독도서
목록에 있는 책을 마지못해 들고 오기도 하는데요. 우리는
책의 내용에 대해 수다를 떨곤 나란히 앉아 한 문장씩 소리
내 읽었어요.

　　"혹시 미리 읽어 봤니? 어떤 이야기였는지 이모에게 얘
기해 줄 수 있어?"

　　"그렇구나. 특히 기억에 남았던 부분이 있었어? 어느
부분이야?"

　　"그래? 이모는 이 부분이었어." "떠오르는 단어가 있을
까? 왜 이 단어가 기억에 남아?"

　　"이 이야기를 누가 해?" "이야기가 언제 어떻게 시작

돼?"

"그럼 이제부터 이모랑 함께 읽어 볼까?"

"우리가 그림 그릴 때 말야. 그리고 싶은 걸 눈으로 보고 연필이나 붓 같은 걸로 그리잖아? 목소리로 그림 그린다고 상상해 볼까? 네가 그리고 싶은 내용을 눈으로 보고 입으로 소리 내 그리는 거야. 아무것도 없이 하얗던 도화지가 소리 내서 말할 때마다 채워지는 거지. 네 목소리로 한 문장 한 문장이 그림 그려지는 거야. 잘 그리고 못 그리고는 중요하지 않아. 되는대로 그려보자. 그럼 지금부터 머릿속 도화지에 그림 그려가며 읽어 보는 거다."

이런 얘기들을 하며 책 밖으로 달아나고 있는 아이의 집중력을 다시 붙잡아온 다음 정성스레 한 문장씩 나누어 읽기 시작합니다.

거지반 집에 다 내려와서 나는 호드기 소리를 듣고 발이 딱 멈추었다. 산기슭에 널려 있는 굵은 바윗돌 틈에 노란 동백꽃이 소보록하니 깔리었다. 그 틈에 끼어 앉아서 점순이가 청승맞게시리 호드기를 불고 있는 것이다. 그보다도 더 놀란 것은 그 앞에서 또 푸드득푸드득하고 들리는 닭의 횃소리다. 필연코 요년이 나의 약을 올리느라고 또 닭을 집어 내다가 내가 내려올 길목에다 쌈을 시켜 놓고 저는 그 앞에 앉아서 천연스레 호드기를 불고 있음에 틀림 없으리라. 나는 약이 오를 대로 다 올라서 두 눈에서 불과 함께 눈물이 퍽 쏟아졌다. 나무지게도 벗어 놀 새 없이 그대로 내동댕이치고는 지게막대기를 뻗치고 허둥지둥 달려들었다.

가까이 와 보니 과연 나의 짐작대로 우리 수탉이 피를 흘리고 거의 빈사 지경에 이르렀다. 닭도 닭이려니와 그러함에도 불구하고 눈 하나 깜짝 없이 고대로 앉아서 호드기만 부는 그 꼴에 더욱 치가 떨린다. 동리에서도 소문이 났거니와 나도 한때는 걱실걱실히 일 잘하고 얼굴 예쁜 계집애인 줄 알았더니 시방 보니까 그 눈깔이 꼭 여우 새끼 같다.

— 김유정,『동백꽃』중에서

김유정의 단편「동백꽃」을 읽을 때였습니다. 어느 이야기든 마찬가지지만 읽다 보면 이렇게 흥미진진한 부분이 나오죠. 그럼 읽기를 멈추고 얘기해요. 여러분은 이 대목에서 아이와 어떤 얘기를 하고 싶으세요? 우리는 그때그때 생각나는 모든 걸 궁금해하고 또 답하며 그림을 그려나갔어요.

호드기는 뭘까? 불면 어떤 소리가 날까?

그 소리가 나에게 어떻게 들렸기에 발이 딱 멈춰졌을까?

산기슭의 바위들은 어떤 모양으로 있었을까?

노란색의 꽃들은 어떤 모양으로 얼마나 많이 깔렸을까? 어떤 느낌일까?

우리가 아는 동백꽃은 노란색이 아닌 것 같은데 왜 노란색이라고 했지?

점순이는 어떻게 앉아 있을까? 점순이처럼 한 번 앉아 있어 볼래?

점순이는 왜 호드기를 불고 있었을까? 무슨 생각을 하며 불고 있었을까?

닭이 낸다는 횃소리는 어떤 소리일까?

나는 왜 약이 올랐을까?

눈에서 불과 함께 눈물이 쏟아진다는 걸 만화로 그리면 어떻게 그릴 수 있을까?

왜 눈물이 퍽 쏟아졌다고 표현했을까?

지게막대기를 뻗치고 허둥지둥 달려드는 느낌을 몸으로 표현해 볼래?

빈사가 뭘까? '눈 하나 깜짝 없다'는 무슨 뜻일 것 같아? 동리는?

격실격실히 일 잘한다는 건 어떻게 일을 잘한다는 걸까?

나는 왜 점순이 눈이 여우 새끼 같다고 생각했을까?"

제가 생각해도 너무 쉬운 물음에는 "아이, 이모, 저 그 정도는 알아요."라며 저를 약간은 힐난하듯 웃기도 했지만요. 잘 모르는 단어는 문장에서의 뉘앙스로 무슨 뜻일지 먼저 상상한 다음에 사전을 찾아 우리의 느낌과 비교하며 알아 가기도 했습니다. 한 문장씩 번갈아 가며 낭독하다 때로 아이가 작품에 폭 빠져 있을 땐 몇 문단씩 아이가 이끌어 가기도 했고요. 저 역시 더 낭독하고 싶은 마음을 참을 수 없을 땐 아이의 원성을 뒤로 하고 몇 문단을 쭉 낭독하기도 했어요. 거실 한 곳에 무대를 정해 놓고 한 사람은 무대 한쪽에서 천천히 낭독을 하고 다른 한 사람은 주인공 '나'가 되어 무대 중앙에서 낭독자가 이끄는 대로 눈으로, 표정으로, 몸으로 표현해 보기도 하고요. 때로는 나란히 무대에 서서 '나'와 '점순' 각자 맡은 역할대로 연기를 하기도 했어요. 우리만의 낭독극을 한 셈이지요.

우리는 재미있게 놀았습니다. 그리고 낭독하기 전 작품에 대해 이야기했던 것처럼 낭독이 끝난 후에도 이야기는 이어졌어요.

"이모, 점순이는 좀 이상한 애 같아요. 좋아하면서 왜 그렇게 못되게 굴었을까요? 좋아한 거 맞아요?"

"점순이만 이상하니? 주인공인 '나'도 만만찮은 거 같아. 몰라서 하는 행동이지만 닭에게 하는 행동이 너무 잔인하기도 하고."

"주인공은 점순이를 좋아했을까요? 이모는 이제 동백꽃 하면 무슨 색이 떠올라요?"

"우리 이제 동백꽃의 줄거리 한번 말해 볼까? 작가는 우리에게 무슨 말이 하고 싶은 걸까?"

"김유정의 「동백꽃」은 나에게 (   )을 느끼게 한 작품이다."

이렇게 소리 내어 읽기 전과 후, 작품에 대한 우리의 이해와 느낌이 달라진 부분이 있는지 확인합니다. 작가의 의도는 무엇이고 주제는 무엇일지, 이야기의 흐름은 어떠한지, 이야기를 이끌어 가는 모티브는 무엇인지에 대해서도 얘기하며 작품에서 받았던 인상을 정리하죠. 운양동 중딩의 학습능력이 실제 향상됐는지는 아직 모르겠습니다. 하지만 낯선 문장을 대할 때의 긴장감과 거부감은 확실히 줄었습니다. 모르는 단어 앞에서도 주눅 들지 않고요. 적극적으로 문제를 해결하려 하죠. 표정도 풍부해지고 표현 그 자체를 조금 더 즐기게 된 것 같아요.

모든 커뮤니케이션의 핵심은 '잘 듣고 표현하기'죠. 그 과정을 성실히 밟아야 '공감과 설득'이라는 커뮤니케이션 본연의 목적을 달성할 수 있고요.

좋은 글 읽기. 특히 소리 내어 읽기는 글이 지닌 논리와 감수성을 껍데기만 훑고 지나가는 데에 그치지 않습니다. 글의 내용이 나의 온몸에 콕콕 박히게 저장해서 오래 남는 다는 뜻입니다. 그러니 작가가 오래 생각해서 빚어낸 단어와 문장을 마치 내 것처럼 꺼내 쓰게 되고, 논리를 찬찬히 풀어나가는 힘이 길러집니다. 스스로 느끼고 생각해야 하니 집중하게 되고, 마음도 차분해질 수밖에요.

오늘은 아이와 함께 즐거운 낭독 놀이. 어떠신가요?

안녕하십니까?

오늘도 주유구 앞에서 인사를 합니다. "안녕하세요, 원하시는 유종을 선택해주세요."

아파트 출입문에서 경비업무도 맡고요. "문이 열렸습니다~"

여러분이 은행 업무를 볼 때도 등장하네요. "카드를 넣어주세요."

팟캐스트를 들으며 하루의 피로를 풀 때도, 일상의 잡다한 물음들을 해결하려 전화를 걸 때도 저는 항상 여러분 곁에 있습니다.

네, 저는 여러분이 어느 때나, 어느 곳에서나 접하는 기계음 목소리의 주인공 임미진입니다. 단정하면서도 친숙하며 아름다운 목소리라고만 기억해 주세요. 성우로서, 말과 낭독을 가르치는 선생으로서, 또 하루 하루의 삶에서 좌충우돌하며 살아가고 있는 사람으로요.

저는 나이를 먹으면 사는 게 좀 쉬워질 줄 알았어요. 사람, 일, 그리고 생각과 감정 사이에서 수월하게 관계 맺고 가끔은 타협도 하고요. 조금 더 여유 있고 부드럽게 유영할 수 있을 줄 알았어요. '쉬워질 줄 알았다'는 건 '실은 그렇지 못했다'는 얘기이기도 합니다.

반복이 지겨워졌다고 해야 할까요, 아니면 위기의식을 느꼈다고 해야 할까요? 살면서 가끔 만나는 감정의 불균형과 그것을 해결하는 저의 패턴-소모적인 감정 몰이를 하고 적당히 휘청대다 또 적당한 타이밍에 관계 속으로 다시 기

"낭독은 나를 통해 표현하니
결국 나를 드러내는 일이에요.
그 과정에서 일어나는 일들을
즐기는 게 낭독이잖아요."

어나가는-을 더는 반복하면 안 될 것 같았고 하고 싶지도 않았습니다.

그래서 다들 습관처럼 얘기하는 '내려놓고 비우고 채운다'는 것을 조금 더 적극적으로 경험하기로 마음먹었습니다. 감정에 매몰되지 않고 마주할 수 있는 여유와 용기를 가지려 했고 아픔의 실체가 무엇인지 정확하게 바라보려 했습니다. 내외부의 부정적인 자극으로부터 저를 보호해줄 완충지대를 찾고 싶었어요.

인생 선배들이 삶의 균형을 잡는 방식도 제 삶에 적용하려고 노력했습니다. 책과 영상을 찾아 열심히 보고 듣고. 혹시 눈을 보며 이야기를 들을 수 있는 상황이라면 직접 만나도 보고 말입니다. 명상도 그 방법 중 하나였어요.

일단 새벽에 일어납니다.

침구를 정리하고 강아지에게 인사한 후, 물 한 잔 마시고 간단한 스트레칭을 하고 공부방 창가에 놓인 의자에 앉습니다. 춥지 않은 날은 창을 열어 새벽 공기도 들여오고, 그리고 눈을 감습니다. 이 모든 과정을 마이클 잭슨이 아주 느리게 추는 문워크를 상상하며 조용하고 부드럽지만 끊김 없이 이어가요.

그렇게 가만히 앉아 있으면 고요하고 평화로운 공간이 만들어 내는 작고 섬세한 소리들이 들려요. 그 소리를 따라 꼬리를 물고 떠오르는 제 머릿속의 잡생각들도 보이고요.

처음엔 묵직하고 안정감 있게 가라앉은 새벽 공기를 느끼는 것만으로도 충분했습니다. 그런데 거기까지였어요. 생각과 감정의 찌꺼기를 걸러내 가벼워지고도 싶고, 보고 배운 여러 방법들로 '명상 상태'를 경험하고도 싶은데 잡념은 생각의 흐름을 따라 조용히, 하지만 끊임없이 춤추고 있었습니다. 사람이 하루에 5~6만 가지의 생각을 한다는데 지금 이 순간에 하루치 생각을 다 할 수 있을 것 같은 느낌마저 들었어요. 그렇게 잡념에 집중하는 새벽을 며칠이나 반복하다 시간 낭비하지 말고 책이나 읽자고 생각을 고쳤습니다.

좋아하는 명상 서적 한 권을 꺼내 들었습니다. 묵독을 하다가 금방 눈의 집중력이 흐려져서 명상 서적 속에 있는 글귀들을 소리 내 읽었습니다. 경건하고 정갈하게요.

끊임없이 무언가를 읽는 직업이라 낭독의 좋은 점들에 대해선 차고 넘치게 잘 알고 있었지요. 하지만 그 때문에 밥벌이가 아니면 입을 쉬게 해주고 싶어 사사로운 낭독을 즐기지 않았었는데 그 새벽, 소리 내어 명상 서적의 내용을 읽기 시작했을 때의 경험은 조금 다른 것이었습니다.

말씀드린 대로 저는 제 공부방 창가에 의자를 놓고 앉아 있었습니다. 낭독을 시작할 때는 이 방의 공간감, 의자에 맞닿은 내 피부, 창밖의 뭉뚝한 소음, 소리 내 읽고 있는 내용, 이 모든 것을 의식하는 나 자신까지 하나하나 느껴졌어요.

그러다 어느 순간 의자에 앉아 책을 읽고 있는 나와 책의 내용만 의식됐어요. 하이라이트 조명으로 나만을 비춘 것처럼 말이에요. 공간과 소음은 언제인지도 모르게 물러났습니다. 그러다 내가 책을 읽는 것인지 책이 스스로 말을 하는 것인지 모를 순간이 찾아왔습니다. 흡사 책이 나의 입과 몸을 통해 말하고 있는 것 같은 느낌이 강하게 들었습니다. 주위는 모두 소거되고 이야기 소리만 남아 내 몸을 울리고 방안을 울리고 아파트 밖 고요한 세상 하늘 끝까지 울리

낭독을 시작합니다

는 것 같았어요.

나만의 신성한 의식을 치른 것 같았습니다. 나의 영혼이 더없이 맑고 가볍게 느껴졌어요. 거짓말을 조금 보태면 새로 태어난 것 같았죠.

직업적으로 간혹 이런 카타르시스를 경험하기도 합니다. 무언가를 소리 내 읽다 같은 공간 안에 있는 사람들이 사라지고 이야기와 나만 남는 경험인데요. 고도의 집중력과 아주 다양한 낭독의 조건들이 정교하게 맞물리면 그러한 희열을 맛보기도 하지요. 하지만 나 자신마저 완전히 없어지고 소리와 이야기만 남아 온 우주를 울리는 듯한 경험은 처음이었습니다. 아마 새벽 시간이 주는 고요함도 한몫했겠지요.

그날 이후 전 새벽 낭독을 합니다. 늦게 일어나 5분밖에 못할 때도 있고 여유 있게 일어나 앉아 있는데도 처음의 감사한 경험만큼 느껴지지 않을 때도 있어요. 그래도 꾸준히 합니다. 하루의 중심을 잡아 주는 저만의 방식이니까요.

명상이 뭐 별건가요?

최소한 그것이 내 마음이 만들어 내는 온갖 부정적이고

소모적인 생각들로부터 나를 보호하고 쉬게 하는 거라면, 내 영혼에 힘을 불어 넣어주고 싶은 거라면 좋은 글을 소리 내 읽는 것도 명상일 수 있습니다. 마음에 닿는 책 한 권. 그리고 고요하게 홀로 있을 수 있는 공간. 그것이면 돼요.

사랑하는 사람에게 처음 고백하듯 떨리지만 정직하게 천천히 소리 내 읽어 보세요. 마음을 복잡하게 했던 많은 것들이 사라지고 이야기와 충만한 에너지만 남을 테니까요. 새벽이든 낮이든 밤이든 상관없어요. 그저 읽어 보세요. 당신이 잃었을지도 모르는 삶의 균형을 낭독이 가져다줄 겁니다.

너와 나, 우리를 위한 낭독

2002년 KBS 29기 성우. 20대 때는 열정적인 목소리 연기를 펼치다가 30대에 모든 것을 접고 핸드폰도 없이 깊은 산으로 들어가 자연과의 깊은 교감을 선택했다. 40대인 지금은 다시 세상에 나와 낭독 코치로 몸, 마음, 말에 대한 치유의 메시지를 전하고 있다. 지은 책으로는 『나에게, 낭독(2018)』이 있다. 북내레이터 아카데미 '나에게 낭독'에서 후학을 가장 많이 길러낸 강사이기도 하다.

내 마음 하나 알아주는 것

여 : 오빠, 나 살쪘지?

남 : 잘 모르겠는데…?

여 : 오빤 나한테 관심 없어?

남 : 아니 그게 아니라…살 좀 찌면 어때? 나 원래 통통한
    여자가 이상형이야.

여 : 뭐? 그래서 쪘다는 거야? 지금 내가 뚱뚱하다는 말이
    지?

남 : 아니….

여 : (한숨) 아 그래, 한번 보라고! 살찐 것 같냐구?

남 : 그런가⋯

여 : 이게 생각할 일이야? 이게 생각할 일이냐고?!

남 : ⋯⋯.

이 뒤는 더 보지 않아도 다 아시겠죠? 어느 장단에 맞춰야 이 대화의 종지부를 잘 찍었다 할 수 있을까요? 말이라 해도 다 같은 말이 아닌가 봅니다. 결국에는 그 사람의 속마음을 알아차려야 서로를 잘 알아주었다 할 수 있겠죠.

얼마 전 지나치듯 본 영상이 가슴에 오래 남아 있습니다. 늦은 밤 한 지하철역에서 잔뜩 취한 아저씨가 고래고래 소리를 지르며 술주정을 하고 있었습니다. 공공장소에서 그러고 있었으니 당연히 신고가 들어갔을 테고, 그 아저씨는 난동을 부린 진상 시민이 되었습니다.

경찰들이 그 아저씨를 제지하던 순간, 한 청년이 아저씨에게 가까이 다가가 따뜻하게 안아주었습니다. 아저씨는 청년의 어깨에 얼굴을 묻은 채 조용히 숨을 고르고 경찰도 거친 제지를 멈추었습니다. 이 영상은 '난동 부리는 취객을

포옹으로 진정시킨 청년'이란 제목으로 전해졌습니다.

이 아저씨의 난동을 멈춘 힘은 무엇이었을까요? 한 사람이 누군가의 마음 하나 알아주는 것! 이런 걸 공감이라고 하나요?

그래요. 공감.

문득 이런 생각이 들었습니다. 공감은 내 관점이 아닌 상대방의 관점으로 바라보는 것 아닐까요? 내 한계를 넘어서지 못하면 결코 쉽지 않습니다. 그런데 이 청년은 이걸 아주 쉽게 해냈군요. 사람 마음 하나 알아주는 일이요. 그런데 이 마음이라는 게 눈에 보이지 않아서 힘들다는 겁니다. 보이지 않는다고 해서 없는 것도 아니고 말입니다.

저는 보이지 않는 이 세계를 조금이나마 엿볼 수 있게 해놓은 것이 바로 활자라고 생각합니다. 그러니 텍스트를 바라본다는 것은 보이지 않는 누군가의 생각과 마음, 영혼까지도 만날 수 있는 일입니다. 참 신비하고 대단합니다. 흥미롭고 재미있는 작업이기도 합니다.

이런 생각으로 이어졌습니다. 낭독을 통해 활자에 대한 이해와 공감과 경청이 잘 이루어진다면 사람과 사람 사이의 소통의 공간도 조금이나마 넓어지지 않을까 하는 생각으로요.

내 마음도, 타인의 마음도 낭독이란 이름으로 포용해 줄 수 있는 시간이 되길 바랍니다.

자 그럼, 이 신비로운 작업인 낭독의 시간으로 같이 들어가 볼까요?

눈으로 바라보다 입을 떼면

나는 좋은 글을 보면 소리 내어 읽는 편이다.

내 목소리를 밖으로 내어 텍스트를 읽을 때 찾아오는 감동은 눈으로만 글을 읽을 때와는 또 다르다. 낭독을 하면 묵독을 할 때보다 글에서 더 섬세한 감정이 느껴진다. 글이 내는 향과 정서도 더 생생하게 전해진다. 문장과 문장, 단어와 단어 사이에서 느껴지는 호흡도 소리 내어 글을 읽을 때 바로 체감할 수 있다. 섬세한 사람이라면 작가가 글을 쓰면서 멈춰 있었을 그 공간도 느낄 수 있으리라.

— 서혜정·송정희, 『나에게, 낭독』 중에서

먼저 위의 예문을 소리내지 않고 눈으로만 바라봅니다. 이
때 필요한 것은 전에 있던 나의 상황과 감정을 정리하는 시
간입니다. 마음이 깨끗해야 텍스트를 잘 받아들일 수 있기
때문입니다. 급하게 집중해서 일 처리를 했어야 하거나, 누
군가와의 대화 중 풀리지 않는 고민이나 소화되지 않은 감
정의 걸림이 있다면 묵독을 하기 전 그 잔상들을 비워내는
시간을 갖길 바랍니다. 이때 잠시 눈을 감고 들숨과 날숨에
만 집중하는 시간을 5분 정도 갖기를 권합니다. 내 신체에
더 집중하는 시간을 통해 생각을 덜어내는 작업입니다. 이
완하기 위해 너무 애쓰지 않아도 됩니다. 오히려 몸과 마음
의 긴장되는 부분에 더 집중하고 바라볼 때 '아, 이게 원인
이었구나'하고 자연스럽게 알아차려 이완에 이르기도 하
죠. 혼자만의 공간, 혼자만의 시간 안에서 묵독해보겠습니
다. 그리고 내용과 의미 또한 파악하려고 너무 애쓰지 마세
요. 묵독은 큰 숲을 살핀다고 생각하며 활자를 보는 것입니

"처음부터 너무 욕심내지 말고
할 수 있다는 마음으로
바람처럼 보송보송하게,
가볍게 접근합니다."

다. 넓고 가볍게요.

묵독하며 눈으로 활자를 봤다면 이번엔 입을 떼서 소리 내 보겠습니다. 이게 생각보다 쉽지는 않습니다. 어색함을 뚫고 나오는 내 소리가 낯설게 느껴질 수도 있거든요. 하지만 너무 걱정하지 마세요. 소리는 너무 크게 내지 않아도 됩니다. 내가 가장 편안하게 느끼는 속도로 읊조리듯 입을 떼어봅니다. 힘들면 웅얼거려도 좋습니다. 누구도 의식하지 않고 내가 이 글의 의미를 이해할 수 있는 정도면 되겠습니다. 그러다 공감이 되는 문장이 있다면 적극적으로 표현해도 좋습니다. 문장에 맞는 손동작을 구사해 보거나 가볍게 걸어보기도 하고, 얼굴 표정을 다양하게 지어봐도 좋습니다. 처음부터 너무 욕심내지 말고 할 수 있다는 마음으로 바람처럼 보송보송하게, 가볍게 접근합니다.

잘 이해되지 않거나 호흡이 너무 긴 문장일 경우 끊어 읽기가 애매할 수 있습니다. 그럴 땐 잠시 멈추고 10번에서 20번 정도 내 입에 자연스럽게 붙을 때까지 반복해서 연습해 봅니다. 100번 하셔도 뭐라 하지 않습니다. 해보세요. 할

수록 조금씩 자신감이 붙는 내 마음을 발견할 겁니다.

낭독자로 발돋움하기 위해 묵독과 입떼기 낭독으로 텍스트 바라보기 훈련을 했습니다. 말하는 이가 있으면 말을 듣는 이가 있죠. 낭독자는 듣는 이에게 텍스트에 담긴 작가의 생각과 마음을 잘 전달해야 합니다. 오로지 책만 빛날 수 있게요.

초보는 발음부터

이제 낭독에 필요한 연습법을 구체적으로 하나씩 제시해보겠습니다. 먼저 발음입니다. 간혹 '발음, 발성, 호흡 중에서 어떤 부분에 가장 많이 투자해야 하나요?'라는 질문을 받곤 하는데, 세 가지 모두 중요하지만 저는 발음 연습부터 시작하라고 권합니다. 발성과 호흡은 눈으로 보고 자기 스스로 확인할 수 있는 근거가 뚜렷하지 않지만 발음은 정확한 발음 기호가 있기에 스스로 점검해서 연습할 수 있습니다. 발음 연습을 꾸준히 하면 조음기관과 입속 공간을 움직이는 힘이 좋아져 발성과 호흡 능력도 함께 향상됩니다. 그래서 무엇보다 발음 연습이 중요하다는 생각이 듭니다.

먼저 모음만을 분리해서 발음을 연습합니다. 발음해야 할 모음에 연필로 동그라미를 치면 알아보기 좋습니다. 위의 예문 중 '나는 좋은 글을 보면 소리 내어 읽는 편이다.'에 적용해보면, 먼저 모음으로 'ㅏ, ㅡ, ㅗ, ㅡ, ㅡ, ㅡ, ㅗ, ㅕ, ㅗ, ㅣ, ㅐ, ㅓ, ㅣ, ㅡ, ㅕ, ㅣ, ㅏ' 이렇게 한 글자씩 또박또박 입을 떼어 소리냅니다.

다음은 자음 발음입니다. 이번엔 연필로 '나는 좋은 글을 보면 소리 내어 읽는 편이다.'라는 문장의 자음에만 동그라미를 쳐야겠군요. '니은, 니은, 지읒, 이응, 기역, 이응…' 하고 입을 떼어 소리냅니다. 이때 스타카토로 짧게 끊어서 힘있게 내뱉기도 하고, 길게 빼면서 호흡에 싣는 훈련도 병행해 주십시오.

마지막으로 모음과 자음을 합친 완전한 한 글자 발음을 연습합니다. 우리가 보통 입술 근육만을 사용해서 발음한다고 생각하지만, 이마 근육까지 움직여주고 입 속 공간을 충분히 확보해서 입 모양을 크고 정확하게 구사하는 것도 중요합니다. 입술 모양만 신경을 쓰면 호흡 없이 딱딱한 발음만 남아 매력 없는 낭독자가 될 수도 있으니 호흡도 함께 챙겨주세요.

아래를 참고해서 매일 시간 날 때마다 또박또박 훈련해보세요. 꾸준함을 이기는 건 없거든요. 어떤 수강생은 이 단순한 훈련이 복잡한 생각을 내려놓는 데 좋다는 이야기도 합니다.

나,
나 는,
나 는 좋,
나 는 좋 은,
나 는 좋 은 글,
나 는 좋 은 글 을,
나 는 좋 은 글 을 보,
나 는 좋 은 글 을 보 면,

나 는 좋 은 글 을 보 면 소,

나 는 좋 은 글 을 보 면 소 리,

나 는 좋 은 글 을 보 면 소 리 내,

나 는 좋 은 글 을 보 면 소 리 내 어,

나 는 좋 은 글 을 보 면 소 리 내 어 읽,

나 는 좋 은 글 을 보 면 소 리 내 어 읽 는,

나 는 좋 은 글 을 보 면 소 리 내 어 읽 는 편,

나 는 좋 은 글 을 보 면 소 리 내 어 읽 는 편 이,

나 는 좋 은 글 을 보 면 소 리 내 어 읽 는 편 이 다.

발음이 좋지 않은 수강생들을 만날 때가 있습니다. 타고난 신체 구조, 그러니까 혀가 짧거나, 입 속 공간이 협소하거나, 부정교합이 심한 경우입니다. 이런 경우엔 위 연습법으로 미처 발달되지 못한 기관들의 감각을 끌어올리면 조금씩 나아질 수 있습니다. 그리고 잘못된 발음이 습관으로 굳어졌다면 발음 기호를 반복해서 연습하는 방법으로 교정하면 됩니다.

　한 수강생의 특이한 사례가 기억에 남습니다. 문장에서

생소한 단어를 만났을 때나, 뜻을 정확하게 알지 못하면 그 단어를 내뱉지 못하곤 했습니다.

저는 다시금 깨닫게 되더군요. 우리가 해야 할 것은 형식적인 발음 연습이 아니라, 단어의 뜻을 먼저 알아야 하는 거였습니다. 그래야 정확한 소리를 낼 수 있구나 하는 생각이 들었습니다. 이 수강생은 생소한 단어의 뜻을 찾아 인지했고, 그 단어가 익숙해질 때까지 문장 안에 넣어 연습하고 나니 그제서야 제대로 된 발음을 구사할 수 있었습니다. 궁극적으로는 듣는 이에게 내용을 보다 잘 전달하기 위한 목적의 발음 연습이 되었으면 좋겠습니다.

잘 끊어 읽기: 스스로 문답

낭독에 있어 가장 중요한 것 중 하나가 바로 끊어 읽기입니다. 어떻게 끊는지에 따라 문장의 의미는 크게 변하고, 전혀 다른 해석이 될 수도 있기에 중요합니다. 그런데 텍스트를 보자마자 연필을 들고 끊어 읽을 곳을 열심히 표시하는 분들이 간혹 있습니다. 하지만 그러지 않았으면 합니다. 손으로, 연필로 끊어 내는 순간 문장의 정서는 온데간데없이 사라지고, 수학 문제 풀 듯 딱딱하게 구사되기 시작합니다. 그건 기술 낭독일 뿐, 정서가 담긴 낭독이 될 수는 없습니다.

눈으로, 마음으로 내 감각을 깨워가며 텍스트를 보는 능력을 기르면 오감에도 도움이 됩니다. 먼저 내 속도에 맞는 묵독으로 텍스트를 천천히 바라보고, 끊어 읽기를 할 때엔 '마음의 연필'로 체크해 봅시다. 그래야 텍스트 속의 정서가 내 감각으로 살아날 수 있습니다.

그럼 어떻게 끊어 읽을까요? 문장 하나를 두고 자기 스스로 질문하고 대답하는 연습을 제시해 보겠습니다.

누가, 언제, 어디서, 무엇을, 어떻게, 왜?

문장에 말을 걸어보세요. 육하원칙으로 질문하고 답해 보는 겁니다. 자신의 낭독에 너무 심취한 나머지 작가가 화자를 빌어 전하고자 하는 의미를 놓치고 갈 수도 있기 때문입니다. 육하원칙을 모두 지켜서 질문하지 않아도 됩니다. 여섯 가지의 내용 중에 생략된 부분도 있으니까요.

나는 좋은 글을 보면 소리 내어 읽는 편이다.

Q _ 누가?

A _ 나는

Q _ 무엇을?

A _ 좋은 글을 보면

Q _ 어떻다?

A _ 소리 내어 읽는 편이다

내 목소리를 밖으로 내어 텍스트를 읽을 때 찾아오는
감동은 눈으로만 글을 읽을 때와는 또 다르다.

Q _ 무엇을, 어떻게?

A _ 내 목소리를, 밖으로 내어

Q _ 무엇이?

A _ 텍스트를 읽을 때 찾아오는 감동은

Q _ 무엇과는?

A _ 눈으로만 글을 읽을 때와는

낭독을 시작합니다

Q __ 어떻다?

A __ 또 다르다

글이 내는 향과 정서도 더 생생하게 전해진다.

Q __ 무엇이?

A __ 글이 내는 향과 정서도

Q __ 어떻게?

A __ 더 생생하게 전해진다

이렇게 문장을 상황과 의미에 따라 나누고, 소리 내어 혼자 묻고 답해봅니다. 가능하다면 누가(주어), 무엇을(목적어), 어떻게 한다(서술어)로도 나눠봅니다.

어때요, 자연스럽게 문장의 의미를 파악할 수 있지 않나요? 누가 언제 어디에서 무엇을 겪고 있는지, 누가 누구에게 말하고 있는지 생각하지 않으면 알맹이 없는 낭독, 이야기에 힘이 없는 낭독이 되고 맙니다. 이 작업이 수월해질 때까지 반복합니다. 나 스스로를 이해시키는 이 훈련이 습관이 되어야 합니다.

자연스러운 붙여 읽기

끊어 읽기 연습을 충분히 했다면 이제 듣는 이에게 물 흐르 듯 자연스러운 말하기로 텍스트를 전달해야 합니다. 끊어 읽기로 문장을 조각조각 낸 상태 그대로 낭독하면 호흡이 다 끊어지고 맙니다. 그런 낭독은 듣는 이의 귀에 잘 전달되 지 않습니다. 듣는 이는 낭독자의 호흡을 따라가며 소리로 만 책을 읽어나가고 있기 때문입니다.

끊어 읽기만큼 중요한 게 붙여 읽기입니다. 우리가 평 소 대화를 할 때를 떠올려봅시다. 오랜만에 만난 친구에게 안부를 전할 때, '정희야 잘 지냈어? 어떻게 지냈어?'라고 묻는다면 어떻게 말할까요?

'정희야 / 잘 / 지냈어? / 어떻게 / 지냈어?'

이렇게 끊어 말하면 의미와 목적이 상대에게 잘 전달될까요?

　'정희야~ 잘 지냈어? / 어떻게 지냈어?'

훨씬 편안하고 자연스럽습니다. 결국, 말하는 것 같은 낭독이 가장 좋은 낭독입니다. 우리는 늘 말하며 살잖아요. 가장 쉽게 뜻을 전달할 수 있는 방법이니까요. 알기 쉽게 전달하고, 자연스럽게 의미가 통하는 말하기야말로 낭독의 가장 좋은 모델 아닐까요?

　예문을 활용해서 붙여 읽기 연습을 해볼게요.

　나는 좋은 글을 보면 소리 내어 읽는 편이다.
　나는 / 좋은글을보면 / 소리내어 / 읽는편이다.
　나는 / 좋은글을보면 / 소리내어읽는편이다.

이 두 문장 중 어떤 게 자연스럽나요? 저는 두 번째를 더 선호합니다. 붙여 읽기 활용에 따라 부드럽고 자연스러운 말하기를 찾아보세요.

> 낭독을 하면 묵독을 할 때보다 글에서 더 섬세한 감정이 느껴진다.
> 낭독을 하면 / 묵독을할때보다 / 글에서 / 더 섬세한 감정이 / 느껴진다

'묵독을 할 때보다'를 붙여 읽었더니 속도감이 생겨서 '묵독'에 적절한 강세를 줄 수 있습니다. 끊어 읽기와 붙여 읽기 훈련을 활용하며 문장을 '말하는' 낭독자로 성장하길 빕니다.

녹음과 모니터링에도 방법이 있다

앞에서 연습한 발음과 끊어 읽기, 붙여 읽기가 잘 표현되는지 녹음해보도록 하겠습니다.

낭독을 시작합니다

녹음도 낭독의 한 방법이라니 생소한가요? 하지만 아무리 전문가가 문제점을 지적해도 자신이 인지하지 못하면 성장하는데 더딜 수밖에 없습니다. 이 단계에서 중요한 것이 바로 귀를 여는 작업입니다. 잘 들어야 잘 이해할 수 있고 잘 말할 수 있습니다. 내 목소리를 객관화해서 스스로가 첫 번째 청자가 되어 모니터를 하는 방법입니다.

내 녹음 파일을 틀어 놓습니다. 이때 텍스트는 보지 않습니다. 내가 낭독한 소리만을 한 문장 듣고 파일을 멈춥니다. 이번에는 그 문장을 최대한 나의 말처럼 자연스럽게 다시 표현해보는 거죠. 느껴지는 차이가 있을 거예요. 딱딱했던 낭독에서 훨씬 더 자연스러운 말하기의 낭독이 될 수 있습니다. 저 역시 낭독을 가르치면서 '나는 말하기 낭독을 하고 있는지' 점검하고, 다시 배워나가고 있답니다.

낭독자는 활자를 보고 있지만 듣는 이는 오직 낭독자의 소리만으로 활자를 만납니다. 그러니 우리는 듣기 편한 '자연스러운 말하기'로 책의 내용을 전달해야 합니다.

세세하게 점검할 때는 무엇을 중점에 둘 것인지 생각하며 들어보기를 권합니다. 이때는 텍스트를 옆에 놓고 확인해야 됩니다. 내가 'ㄴ 받침, ㄹ 받침'이 부정확하다면 그 부분을 더 귀 기울여 듣는 거죠. 잘못된 것을 하나씩 교정하는 방법입니다.

만약 서술어에 강세가 습관적으로 들어가는 경우, 예를 들어 종결어미 '했다'가 부자연스럽다면 종결 어미만 중점적으로 들어봅니다.

여러 가지를 다 하려 하지 말고 딱 한 가지 부분만 집중해서 모니터하는 것이 필요합니다. 한번에 좋아지기는 쉽지 않아요. 그러니 하나하나 단계를 밟아가며 성장해 봅시다.

처음에는 자신의 목소리를 들어보면 어색하고 낯섭니다. 때로는 듣기 싫을 수도 있고요. 부정적인 생각만 떠오르기도 할 겁니다.

부드럽게 하면 가식적으로 들리고

평소 톤으로 편하게 하면 긴장감이 떨어지고

리듬을 타면 구연동화 하는 것 같고

천천히 낭독하면 너무 우울하게 들리고

"칼날과 같은 지적보다
지금도 충분히 괜찮다고
말해줄 수 있는 여유와 응원이
삶에 활력을 줍니다."

나름대로 감정을 넣어서 낭독하면 유치하게 들리고

어떠세요? 자신을 향한 칭찬 하나 없는 이 칼날과 같은 지적. 이 칼날로 낭독의 즐거움을 빼앗지는 마시기를요.

한번 이렇게 관점을 바꿔 보면 어떨까요?

부드럽게 말하면 가식적일 수도 있어.
편하면 긴장감이 떨어지는 건 당연한 거고. 그 대신 이완할 수 있잖아.
리듬을 타면서 내 감정을 끌어올리는 것도 때로는 필요해. 나는 소중하니까.
천천히 낭독하면서 우울한 감정을 느껴보는 것도 꽤 새롭구나!
조금 유치하게 들려도 괜찮아! 내가 좀 유치하잖아!

내 삶과 늘 함께 걸어온 내 목소리.
때로는 칼날과 같은 지적보다 지금도 충분히 괜찮다고

말해줄 수 있는 여유와 응원이 삶에 활력을 줍니다. 이런 힘이 생겨야 더 깊게 내 목소리를 직면하고 바라볼 수 있는 용기도 생긴다는 걸 기억해 주세요.

나를 위한 낭독 명상

지금까지는 타인을 위해서 어떤 낭독을 해야 하는지 고민하고 연습했었다면 이제는 내 마음과 신체를 들여다보는 시간을 갖기로 해요. 내가 건강해야 더 좋은 소리가 나올 수 있습니다. 녹음해서 스스로 가이드를 삼아도 좋겠습니다.

이 훈련은 몸으로 접근해서 의식에 더 집중하여 진행할 》
것을 권합니다.

누워도 좋고 앉아도 좋습니다.

가장 편한 자세로 시작합니다.

눈을 감는데, 이때는 최대한 이완하며 편안하게 눈을 감습니다.

'지그시'라는 표현을 쓰고 싶군요.

눈을 감은 상태에서 지금 내가 있는 곳의 온도는 어떤지, 따뜻한지, 약간 싸늘한지, 또는 적당한지…

냄새는 자극적인지, 신선한지…

주변 소리는 어떤지, 멀리서 들리는 소리, 아니면 여러 소리가 겹쳐서 들리는지…

나의 숨소리도 들어봅니다.

마음의 시선으로 나의 몸을 전체적으로 바라봅니다.

잘 보이시나요?

내 몸의 어떤 부분에 특별히 긴장도가 높다면 그 부분을 지그시 바라봐주세요.

생각을 멈추고 지그시 바라보는 것이 중요합니다.

그 부분을 살짝 움직여봐도 좋습니다.

자, 이제 엄지발가락부터 천천히 살펴볼게요.

그리고 발바닥, 발등… 구체적으로 내 몸을 구석구석 의식하는 것에 집중하세요.

종아리를 거쳐 허벅지, 골반, 엉덩이, 꼬리뼈. 꼬리뼈에서 올라와 경추까지 쭉 훑습니다.

아랫배와 배꼽, 명치, 가슴 등에 대한 감각을 느껴봐도 좋겠습니다.

누워있다면 등이 잘 이완돼서 바닥에 붙어 있는지 살펴보고, 많이 긴장하고 있다면 호흡을 느리고 크게 반복해봅니다.

팔도 놓칠 수 없죠. 하루 종일 애쓰는 팔과 손가락 끝까지 잘 살펴줍니다.

그리고 목에서부터 머리, 그리고 가장 중요한 얼굴. 이마와 눈, 볼, 턱… 턱에 근육이 많이 뭉쳐있지는 않은지요.

80개의 얼굴 근육을 써서 7,000가지의 표정을 지을 수 있다고 하는데, 그 섬세한 역할을 잘 할 수 있도록 소중하게 살피면 좋겠습니다.

이제는 같은 방법으로 머리부터 발끝까지 반대로 내려갑니다.

긴장도가 높은 부분을 발견하면 마음의 시선으로 한참 동안 머물면서 그 긴장이 녹아내릴 수 있도록 충분히 바라봐주세요. 그리고 들숨과 날숨의 호흡으로 그 긴장을 함께 뱉어냅니다.

충분히 자기만을 위한 시간을 내어주십시오.

발끝까지 끝났다면 이제 눈을 최대한 천천히, 시선을 멀리 둥글게 그리며 눈을 뜹니다.

이 훈련을 마쳤다면 한 문장이라도 꼭 '몸 관찰일기'를 기록하면 좋아요. 예를 들어 '종아리에 시선이 닿았을 때 내 마음대로 할 수 없는 무력감을 느끼며 울컥했다', '몸의 부위에 따라 온도 차이가 느껴졌다' 처럼요. 관찰일기를 하나하나 쌓아가며 내 몸에 대해서 이해하고, 점차 이완되어 가는 자신의 몸과 마음을 발견해 가셨으면 좋겠습니다.

소리를 담는 마음 그릇

낭독에 처음 입문하는 분들이 가장 쉽고 편안하게 접근할 수 있는 텍스트는 바로 자기가 직접 쓴 글입니다. 만약 글을 쓰는 것이 어렵다면 마음의 그릇에 무엇이 담겨있는지

한 단어로, 아니면 아주 간단한 문장을 소리 내는 것부터 시작해도 좋습니다. 여기에 긍정과 부정은 나누지 않습니다. 통제도, 판단도 지금은 하지 않습니다. 있는 그대로 바라봅니다.

나는 무엇을 보는가?
나는 어떻게 보는가?
나는 무엇을 듣는가?
나는 어떻게 듣는가?
나는 무엇을 말하는가?
나는 어떻게 말하는가?
나는 무엇을 느끼는가?
나는 어떻게 느끼는가?

그냥! 이란 말은 이 질문에 답하지 않기로 합니다. 나는 매 순간 숨쉬고, 느끼고, 생각하고 있으므로 모든 현상에는 이유가 있을 테니까요. 어떤 말들이 나왔나요?

그것을 기록하면 글이 됩니다. 천천히 입 밖으로 소리

"낭독에 처음 입문하는 분들이
가장 쉽고 편안하게
접근할 수 있는 텍스트는
바로 자기가 직접 쓴 글입니다."

내어 읽어보세요. 더 특별한 감정이 느껴지는 단어나 문장이 있다면 그 감정을 글로 풀어 작성해보는 것도 좋습니다. 그리고 또 그 글을 읊어봅니다. 내 마음을 글로 옮기고, 그것을 말로 표현하며 생겨나는 운율은 자연스럽습니다. 편안한 울림을 주는 소리지요.

마음이 투사되는 텍스트로 낭독을 하면 자신의 마음 또한 알아차릴 수 있게 됩니다. 그렇기에 낭독 자체로 내 마음이 위로받고 치유가 되기도 합니다.

나답게, 자유롭게

저는 지금 강원도 산촌에 살고 있습니다. 매일 도시에 나가지 않고도 산속 우리 집 마루에서 학생들과 낭독 수업도 하고, 밥벌이를 할 수 있는 건 코로나가 가져다 준 뜻밖의 패러다임 같아요. 디지털 노마드의 삶이죠.

20대, 프리랜서 성우 활동은 녹록치 않았습니다. 광고주나 피디에게 끊임없이 어필해야 하고, 그러니까 '그들이 불러줘야만 갈 수 있는' 삶이었습니다. 내가 좋아하는 일, 내가 선택한 직업임에도 삶의 주도권은 나에게 있지 않다는 생각이 늘 들었습니다. 좀 더 성장해야 하고, 성과를 보여야 하는 시기였지만 10년간의 활동을 내려놓고 긴 공백에 들어갔습니다. 우리가 생각하는 보편적인 삶에서 멀어지진 않았나, 일종의 '번외인'처럼 살아도 되나 하는 의구심은 종종 나타났다 사라지길 반복했지만요.

자연과 깊게 교감하는 삶에서는 '나다운 것이 뭘까'라는 화두를 늘 마음에 두었습니다. '내가 성우다, 여자다, 나이가 몇 살이다'같은 외적인 것들은 잠시 밀어두고, 약간은 고집스러운 신념과 제 마음에만 집중한 시기였습니다. 『나에게, 낭독』도 그 과정에서 쓴 책입니다.

지난 5년 동안 책으로, 낭독으로 많은 분을 만났습니다. 『나에게, 낭독』의 이야기에 공감하는 분들, 낭독에 관심을 갖고 모인 분들…

'송정희다운' 이야기예요, '송정희다운' 목소리가 참 좋아요, '송정희다운' 생각 그대로가 좋아요… 이런 이야기를 들을 때마다 내가 나아가려는 방향이 잘못되지 않았다는 확신이 듭니다. 오늘도 생각했습니다. 나처럼 살아도 괜찮구나, 나 지금 자유롭구나.

이제는 활자가 현실이 되는 순간을 계속 맞닥뜨리며 삽니다. 제 글을 수많은 분들이 끊임없이 낭독해 주고 계시니까요. 그분들의 마음이 제게 스며들고, 뭉클하게 전해지는 감동도 있습니다. 아빠가 돌아가셨던 얘기, 서혜정 선배와의 예화… 활자가 살아서 움직이는 경험을 할 때 가장 행복하고 또 가장 몰입이 되는 순간이에요. 저에게는 가장 큰 선물입니다.

기회가 된다면 여러분의 이야기도 들을 수 있으면 좋겠습니다. 낭독 인연으로 말이죠.

마지막으로 여러분에게 묻습니다.

나에게 낭독은 ＿＿＿＿＿＿＿＿＿＿＿＿＿이다.

세계의 유명 성우들

노자와 마사코 のざわ まさこ

✦ 87세의 현역 성우

일본 애니메이션은 80년대부터 급성장하여 세계적인 인기를 얻습니다. 감독은 물론, 애니메이터와 성우까지도 거대한 팬덤을 이뤘죠. 이런 가운데서 일본인들은 '가장 유명한 성우는 누구일까'하는 질문을 받으면 대부분 노자와 마사코를 떠올릴 것입니다.

노자와 마사코는 1936년생, 그러니까 87세의 성우입니다. 우리가 잘 아는 〈드래곤 볼〉의 '손오공 가문'과 〈은하철도 999〉의 '철이' 목소리를 지금까지 맡아오고 있습니다. 곧 아흔을 바라보는 나이에도 왕성하게 현역으로 활동하는 비결은 편안하고 느긋한 마음가짐 덕분이라고 합니다.

연극배우로 데뷔했던 그녀의 커리어가 크게 바뀐 것은 1950년대에 아르바이트로 참여한 더빙 작업에서였습니다.

당시 영화나 애니메이션에서의 소년 목소리는 비슷한 연령대의 실제 소년

낭독을 시작합니다

이 더빙했습니다. 그러나 노자와 마사코는 '굵은 목소리의 여자 성우야말로 변성기가 채 지나지 않은 소년 목소리와 흡사할 것'이라 생각했습니다. 색다른 도전은 아주 성공적이었습니다. 게다가 소년들과 달리 전문 성우는 NG도 내지 않았고, 완성도 또한 흠잡을 곳 없었죠.

노자와 마사코는 "소년 역할만 하다 보니 미소녀 배역이 들어오지 않는 것이 평생의 한"이라며 농담하지만, 이 일로 성우계의 고정관념이 깨졌고 우리는 성우들의 더욱 수준 높은 더빙을 들을 수 있는지도 모르겠습니다.

✦ 목소리의 힘

아직 겨울의 추위가 남아있는 2월, 노자와 마사코는 한 통의 편지를 받습니다.

"저희 아들이 많이 아파서 이번 달을 넘기지 못할 거라 합니다. 아들은 '드래곤 볼'을 정말 좋아하는데, 사인을 좀 받을 수 있을까요?"

평소 〈드래곤 볼〉을 즐겨 보던 소년은 큰 병에 걸려 한 달의 시한부 선고를 받게 되었고, 아버지는 아들이 힘을 낼 수 있도록 노자와 마사코에게 사인을 부탁한 것이죠.

그녀는 테이프에 〈드래곤 볼〉의 '손오공' 목소리로 "안녕! 난 오공이야! 내가 극장에서 기다릴 테니까 꼭 와야 돼. 약속이다!'라고 녹음해서 답장을 보냈습니다.

그리고 몇 달 후, 아버지는 다시금 편지로 후일담을 전했습니다.

소년은 손오공과의 약속을 지켰습니다.

상태가 좋지 않아 병원 침상에 누운 채로 극장까지 이동한 소년은 의자에 자리 잡고 끝까지 영화를 관람했고, 이튿날 숨을 거두었다고 합니다. 노자와 마사코의 회고에 의하면 당시 〈드래곤 볼〉 극장판의 개봉은 8월이었다고 하니 소년은 한 달도 남지 않았다던 시한부 선고를 반년이나 미룬 것입니다.

아버지가 함께 동봉한 주치의의 편지도 우리를 생각에 잠기게 합니다.

"저희는 정말 열심히 공부하고 노력해서 사람의 수명을 조금이라도 연장하려고 합니다. 그럼에도 너무나 어려운 일을… 당신은 한마디로 이뤄냈습니다. 과연 그 힘은 무엇이었을까요? 그 힘에 진심으로 경의를 표합니다."

멜 블랭크Mel Blanc

✦ 천의 목소리

변화무쌍하게 연기를 잘하는 배우에게 흔히 '천의 얼굴'이라는 수식어를 붙입니다. 그런데 여기에 진짜 '천의 목소리'를 가진 성우가 있습니다. 정확히는 1,120개의 목소리입니다.

멜 블랭크는 1908년에 태어난 미국계 유대인입니다. 무려 한 세기 전의 인물이니, 수많은 현역 성우들이 멜 블랭크의 영향을 받고 꿈을 키워나갔다 해도 과언이 아닙니다. 성우 활동 외에도 배우, 음악가, 작가로도 활동하며 큰 인기를 누렸지요. 두 차례나 에미상을 수상하였고 할리우드 명예의 전당에는 그의 이름이 새겨져 있습니다.

1933년, 그와 아내는 매일 지역 라디오 프로그램을 공동 진행했습니다. 저예산 프로그램이 흔히 그렇듯 여러 성우를 고용할 형편이 되지 못했고, 이때부터 멜 블랭크는 혼자서 다양한 목소리를 내는 기술을 갈고 닦기 시작합니다. 이후 워너브라더스로 이직했을 때, 생방송 중 기계 결함으로 자동차 소리가 재생되지 않자 그가 직접 마이크를 잡고 즉흥적으로 자동차 소리를 흉내 냅니다. 청중의 반응이 너무나도 좋아서, 다음 회차부터는 녹음된 소리를 쓰지 않고 언제나 멜 블랭크가 즉석에서 음향 효과를 담당했다고 합니다.

기발하고도 다채로운 목소리 연기는 그를 워너브라더스에서 제작된 〈루니툰〉의 모든 남성 캐릭터 목소리로 이끌었습니다. 통통한 볼의 노란 새 트위티, 늘 당근을 씹고 있는 벅스 버니, 고인돌 가족 플린스턴… 우리들 유년의 기억에서도 쉽게 떠올릴 수 있는 캐릭터들입니다. 하나 하나가 개성 있고 목소리 특징도 겹치지 않는다는 점을 생각해 보면 '천의 목소리'는 어느 정도의 노력과 재능으로 도달하는 경지일까요?

얘기는 여기까지야. 친구들 안녕!

1961년, 멜 블랭크는 치명적인 교통사고를 당해 3주 동안 혼수상태에 빠졌습니다. 어떤 의료 조치도 그를 깨울 수 없어 보였습니다. 가족들은 크게 낙담했고, 의사는 마지막 수단으로 "벅스 버니, 내 말 들려요?"하고 그에게 묻습니다. 놀랍게도 아주 미약한 목소리로 벅스 버니의 대사인 "웬일이셔, 선생 (What's up, doc?)?"이라 대답하며 혼수상태에서 깨어났다는 일화가 있습니다.

정신을 잃은 와중에도 본인이 연기한 캐릭터의 목소리를 떠올렸다는 것은 몸에 새겨진 기억과 그것이 촉발되는 독특한 방법을 보여줍니다. 이후 멜 블랭크는 완벽히 회복되었고, 그 후로도 시청자들에게 기쁨과 웃음을 가져다 주었죠.

1989년, 멜 블랭크는 폐질환으로 사망합니다. 그의 묘비에는 워너브라더스 만화를 마무리할 때의 대사, "얘기는 여기까지야. 친구들 안녕!(That's all, Folks!)"과 '천의 목소리를 가진 사나이'라는 문구가 새겨져 있습니다.

테드 윌리엄스 Ted Williams

✦ '신이 주신 목소리'의 노숙자

90초짜리 동영상이 하나 있습니다.

유튜버는 자동차 창문을 내리고 '1달러 드릴 테니 멋진 목소리 좀 들려주세요!'라고 청하죠.

화면이 전환되고, 낡은 야전 상의에 한참 동안 깎지 못해 제멋대로 자라난 흰머리의 노숙자는 믿을 수 없게도 아나운서나 방송인 같이 매끄러운 목소리로 대답합니다.

"추억의 명곡은 당신을 마법으로 이끕니다. 라디오 98.9가 당신과 함께합니다. 잠시 광고 듣고 오겠습니다. 내일 아침은 추첨으로 콘서트 티켓 2장을 드립니다. 잊지 마세요!"

이 노숙자의 이름은 테드 윌리엄스.

한때는 지역 방송국의 진행자로 활동하기도 했지만 이내 약물과 알콜 중독에 빠져 해고되었고, 각종 범죄에 연루되며 노숙자로 전락하고 맙니다.

"제게는 신이 주신 목소리가 있습니다. 한때는 작은 방송국의 아나운서로도 일했지만 지금은 힘든 시절을 보내고 있습니다. 작은 도움이라도 크게 받겠습니다. 신의 은총이 있기를…"

거친 외모의 노숙자에게서 흘러나오는 목소리와 드라마같은 서사에 시청자들은 열광합니다.

이 짧은 영상은 미국 내에서 3,000만 뷰를 달성했고, 테드 윌리엄스는 곧 크고 작은 일자리와 집, 재활 치료를 제안받았습니다.

✦ 희망을 버리지 않는다면

테드 윌리엄스의 목소리는 이후 수많은 곳으로 울려 퍼졌습니다. TV쇼, 광고, 라디오, 영화, 다큐멘터리, 출판…. 그의 굴곡진 인생사는 10여 년이 지난 지금까지도 사람들에게 감동을 주며 희망의 아이콘이 됩니다.

한 개인의 유명세에서 그치지 않고, 그는 자신의 이름을 딴 Ted Williams Project라는 재단을 설립하여 노숙자를 지원하는 비영리단체를 운영하고 있기도 합니다.

노숙자, 범죄자, 약물 중독자였던 시절에는 가족과도 멀어졌고, 더 이상 그의 '신이 주신 목소리'도 들려줄 기회가 없었지만 테드 윌리엄스는 희망을 버리지 않았습니다. 어릴 때부터 성우가 되고 싶었다는 꿈 한 조각만이 그가 완전히 무너지지 않도록 지탱해주었죠.

"열네 살 때, 방송국 견학을 가서 성우들을 만난 적이 있어요. 그때부터 꿈을 키워나갔죠. 그리고 지금 저는 소중한 것들을 되찾기 위해 노력하고 있습니다. 잠시 후 방송이 시작됩니다. 채널 고정해주세요!"

치유하는 낭독

1993년 MBC 11기로 성우 생활의 문을 열었다. 인천공항, CGV, 지하철 안내방송 등 세상에 빛과 향기를 더하는 목소리로 활동 중이다. 현재 중앙대학교 예술대학원 공연영상과 겸임교수로 재직중이며, KAC한국예술원에서 화술을 강의하고 있다. 지은 책으로는 『1인 크리에이터 연기실습(2021)』, 『오디오북과 보이스액팅(2021)』 등이 있다. 낭독이라는 삶 안에서 마음을 치유하는 목소리로 기억되고 싶다.

어렵게 되찾은 목소리

갑자기 목소리가 나오지 않아 좌절하던 시기가 있었습니다. 한창 바쁘게 활동할 무렵에 닥친 일이니 성우로서의 커리어도, 개인적인 자부심이나 성취감도 모두 사라진 것만 같았지요. 목소리를 너무 혹사해서였을까? 잘못된 방법으로 소리를 내서였을까? '진짜 나'를 잃어버린 느낌이었어요. 그 무렵 광고 녹음을 하러 갔는데 '맑고 깨끗한 칠성사이다'라는 카피를 읽어야 했어요. 앞부분은 어찌어찌 넘겼지만 '사이다'에서 소리가 꺾이고 갈라져서 전혀 맑지도 깨끗하지도 않은 목소리가 나오는 거예요. 애써 붙들고 있던 것이 무너져서 손가락 사이로 다 빠져나가는 것 같은 좌절감이 들었습니다. 원인을 찾기 위해 병원으로, 음성 클리닉으로, 대학원 수업으로… 목소리를 되찾기 위한 필사적인 노력을 10년 넘게 기울였습니다. 흩어진 목소리 조각들을 아주 천천히, 하나씩 힘겹게 맞추는 과정이었어요.

우리나라와 해외를 오가며 여러 방법을 체득하던 중, '자유로운 목소리를 방해하는 건 막혀있는 감정'이라는 명제 앞에서 깨달음을 얻었습니다. 불안정한 호흡, 근육의 긴장, 인위적인 목소리… 이 모든 것들이 감정을 억누르고 소리의 길을 막고 있었던 거예요.

이후 저에게는 많은 변화가 있었고 점점 제 목소리를 찾아가게 되었습니다. 이 과정을 담아 박사 학위 논문에서는 '오디오북을 위한 보이스 액팅Voice Acting'을 주제로 낭독에 도움을 주는 핵심적인 훈련법을 제안했고요. 특히 감정을 표현하는 훈련에서는 단순히 몸을 움직이거나 목소리를 활용하는 데에 그치지 않고, 마음의 응어리를 녹이고 상처가 아무는 치유를 경험하게 되었습니다.

이젠 압니다. 목소리로 온몸의 감각을 받아들이고 표출하는 과정에서 매번 새롭게 태어나는 기분을요. '맑고 깨끗한 칠성사이다'를 맑고 깨끗하게 표현했을 때, 내가 느끼는 대로 목소리가 나왔을 때의 그 행복감을요.

이 글은 진짜 내 목소리를 찾아가는 훈련이기도 하지만 제가 직접 겪고 느끼며 나 자신을 되찾은 과정이기도 합니다. 하나씩 풀어나가 볼게요.

'진짜 목소리', 진성眞聲

낭독 훈련을 하면 새롭고 선명한 목소리를 얻을 수 있을 거라는 기대를 하는 분들이 많습니다. 진성을 찾고 싶다는 말씀도 하시고요.

제가 학생들과 수업하며 느끼는 건, 진성이란 진실함이 담긴 목소리라는 것입니다. 어디선가 들어봤을 법한 목소리를 따라 하고, 테크니컬한 기교 위에 리듬을 실어내도 결국 알맹이 없는 허상에 그치고 맙니다.

저는 목소리의 근원을 이렇게 설명합니다. 내 안에서 흐르는 호흡, 공명을 관찰하는 것이 먼저라고요.

코로 들이마신 숨이 가슴을 부풀리는 것 같지만 실제로는 몸 전체로 호흡합니다.

호흡길에서 성대와 만난 진동이 몸 전체를 울리며 점점 확장되는 것이 공명이지요.

마침내 입술과 턱, 혀의 움직임을 타고 발음된 소리가 숨과 함께 나오는 음성, 즉 말이 됩니다. 이 세 과정이 톱니바퀴처럼 탄탄히 결합될 때 편안하고 자연스러운 목소리가 생겨납니다.

하지만 소리를 내기 전에, 준비하는 단계가 필요합니다.

우리는 목소리를 가다듬는 방법을 이미 알고 있습니다. 자다 일어나 전화를 받을 때를 생각해보면, 헛기침을 하거나 아, 아 하는 소리로 가라앉은 목을 풀어주죠. 이와 비슷합니다. 성대, 즉 소리가 나는 통로를 열어서 편안하게 소리 나게 하는 스트레칭이라고 생각하면 좋겠습니다. 먼저 워밍업을 시작해 볼까요?

침을 꿀꺽 삼키면 목에 움직이는 부분이 있지요. 그곳이 바로 '후두'입니다. 후두 주변에는 발성에 관여하는 근육들이 있습니다. 그런데 이 근육들이 긴장한 상태에서 소리를 내면 성대가 부자연스럽게 움직이고, 약한 성대는 충격을 받습니다. '성대결절'이라는 단어를 들어봤을 텐데요, 성대에 굳은살이나 혹이 생겨 소리가 갈라지고 떨리는 증상으로 이어지기도 합니다. 이를 예방하기 위해 후두 마사지로 근육을 이완해볼게요.

손끝으로, 약간의 압력이 느껴지도록 후두 주변을 부드럽게 쥡니다.

왼쪽에서 오른쪽으로 천천히, 위·아래로도 움직이며 풀어줍니다. 피부가 약간 눌리는 정도면 충분합니다. 이번엔 손을 내려놓고 고개를 옆으로 돌려, 귀 밑에서 쇄골까지 이어지는 팽팽한 근육 줄기, 흉쇄유돌근을 찾습니다. 역시 약간의 압력이 느껴지도록 손끝으로 움직이며 풀어볼게요.

3분 정도 후두와 그 주변을 마사지하면 맑은 목소리를 내기 위한 기초작업이 끝난 셈입니다.

척추를 길게, 긴장을 없애는 자세

낭독의 첫걸음은 바른 자세에서 시작합니다. 누구나 '허리를 펴고 바른 자세로 선다'는 말을 알고 있지만, 이 '허리를 펴고'가 정확히 어떤 자세인지 아는 사람은 많지 않습니다. 몸통과 허리에 힘을 줘서 가슴을 쭉 내밀기도 하고, 어깨를 뒤로 접듯이 팽팽하게 당겨 보기도 하죠. 하지만 이런 동작

낭독을 시작합니다

은 오래 유지하기 어렵습니다. 힘도 들고, 긴장되기 때문이지요.

이번 훈련은 긴장 없는 차분한 상태에서 바른 자세를 인식하는 단계입니다. 신체를 바로 세워서 척추강이라 불리는 척추 사이의 공간을 길게 넓히면 그만큼 내 목소리가 전신을 울리며 편안하게 공명할 수 있습니다.

편안한 자세로 서서 눈을 감습니다. 머리부터 발끝까지 힘을 뺍니다. 아직 힘이 들어가 있는 곳은 없는지 마음의 눈으로 찾아보세요. 방해되지 않을 만한 작은 움직임으로 긴장을 떨쳐내도 좋습니다. 발바닥으로 중심을 잘 잡고, 내 몸이 길고 넓게 뻗어 있다고 생각합니다.

이제 깊은 호흡을 시작합니다. '후~'하고 날숨을 내쉬어 보세요. 잠시 멈췄다가 천천히 들이마십니다. 들숨은 어느 길을 따라 들어가고 있나요? 내 몸 곳곳에 맑은 숨이 전달되는 느낌을 가져보세요.

이번에는 날숨에 허밍을 실어봅니다. 허밍은 입술을 울리고, 코끝을 울립니다. 들이마시고 한번 더 날숨과 함께 허

밍하면 얼굴이 울리고, 가슴이 울릴 거예요. 몇 번 더 반복하다 보면 내 몸이 하나의 커다란 통처럼 공명하는 것을 느낄 수 있습니다.

　모든 긴장이 사라지고, 마음이 차분해졌을 때 비로소 호흡을 타고 움직이는 울림을 인지하게 됩니다.

우리가 숨을 쉴 때 함께 나오는 음성의 근원은 어디일까요? 바로 횡격막입니다.

횡격막은 가슴과 배를 구분하는 근육막입니다. 크게 숨을 들이쉴수록 배가 불룩해지는 것은 횡격막이 그만큼 아래로 움직였기 때문이지만, 평소에는 의식하지 않아도 말하고 노래할 때 자연스레 움직이죠. 저는 이 횡격막에서 목소리의 본질이 시작된다고 생각합니다.

먼저 의자에 자리잡고 편안한 자세로 앉습니다.

이번에는 양 손가락으로 명치를 찾아볼까요? 명치에서 시작해서 옆으로 천천히 이동하며 갈비뼈 아랫부분을 따라갑니다. 둥근 곡선으로 넓어지는 갈비뼈 안쪽에 횡격막이 있습니다.

횡격막에서 소리가 시작된다고 생각하며 허 허 허 소리를 내 봅니다. 소리를 낼 때마다 배가 움직일거예요. 이 움

직임이 목소리의 근원입니다.

다음은 좀 더 낮고 깊은 곳에서 시작되는 소리를 내 볼게요.

'도' 정도의 음으로 허밍하며 횡격막 아래 복부를 울립니다. 음- 하며 울림을 느끼다가, 아-로 바꾸어 소리를 내보냅니다.

이번엔 음 높이를 조금 높여, '레'정도의 음으로 허밍하며 횡격막 윗 부분을 울립니다. 음-하며 가슴 부위를 울리다가, 아-로 바꾸어 소리를 내보냅니다.

다음은 '미' 정도의 음으로 허밍하며 가슴을 지나 구강을 울립니다. 음- 하며 울림을 느끼다가, 아-로 바꾸어 소리를 내보냅니다.

이 과정을 다섯 번 반복합니다. 눈을 감고 훈련하면 더 효과적입니다.

누워서 느끼는 공명

편안하게 누운 상태에서는 호흡과 공명을 더 잘 느낄 수 있습니다. 바닥에 닿는 내 몸의 면적이 넓어져서이기도 하고, 그만큼 중력의 무게가 더해져 서 있을 때보다 쉽게 진동하기 때문이기도 합니다.

누워서 눈을 감아봅니다. 두 무릎을 세우고 편안하게 호흡합니다. 머리부터 어깨, 등, 허리, 엉덩이, 무릎, 발바닥까지 하나하나 힘을 뺍니다. 바닥에 닿는 부위가 점점 넓게 밀

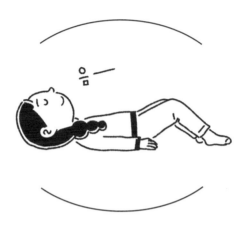

착된다고 생각해 보세요. 몸이 편안해졌다면 음-하는 허밍을 시작합니다. 바닥과 닿은 부분에서 공명이 느껴지나요?

다음으로 깊은 호흡을 해볼게요. 숨이 배를 지나 다리를 타고 발바닥까지 내려간다고 상상해보세요. 크고 깊게 3초간 유지합니다.

이번에는 날숨을 배 아래로 더 멀리 밀어내며 음- 소리를 실어 허밍을 시작합니다. 숨이 다 나갔으면 다시 크게 들이마시고 3초간 유지합니다.

소리의 방향을 바꿔 볼게요. 감았던 눈을 뜨고 날숨에 아-하는 소리를 실어 하늘 위로 보냅니다.

낭독을 시작합니다

마지막으로 날숨에 아-하는 소리 대신 문장을 실어봅니다. '낭독을 하면 글이 살아 움직이는 경험을 하게 된다(『나에게, 낭독』 중에서)'는 문장을 곧고 또렷하게 하늘 위로 보냅니다.

서 있을 때보다 편안한 호흡이 느껴지나요? 숨 쉴 때마다 횡격막과 갈비뼈가 움직이는 모양을 마음의 눈으로 바라보세요. 어느새 차분해진 음성이 호흡을 따라 편안하게 울리는 것을 알 수 있습니다.

손으로 만드는 폐의 모양

최대로 들이마셨다가 내뿜을 수 있는 공기의 양은 폐의 크기에 좌우됩니다. 보통은 키와 몸집에 비례하고, 사람의 일생 중에서는 40대 중반을 전후해 폐가 가장 커진다고 합니다. 엘리트 스포츠 선수처럼 폐활량을 급격히 늘릴 수는 없지만, 낭독에 필요한 호흡은 훈련으로 충분히 길게 만들 수 있습니다.

뿌-

폐가 움직이는 모습이 눈앞에 보이는 것처럼 표현해볼 겁니다. 시각적인 이미지를 묘사해 보는 것만으로도 우리 몸은 그에 맞게 민감하게 반응합니다.

두 손을 얼굴 크기로 앞에 둡니다. 숨이 후- 나가게 하면서 폐가 줄어드는 것처럼 두 손을 좁게 모아줍니다. 숨이 다 나가는 때에 두 손이 만나게 되겠죠?

손을 모은 채 숨을 3초간 멈췄다가, 천천히 크게 들이마시며 폐가 확장되는 모습을 손으로 표현합니다. 손이 점점 넓어지며 맑은 숨이 들어갑니다. 할 수 있는 만큼 전신에 가득 채웁니다.

어깨가 따라 올라가지 않도록 힘을 빼고, 손을 벌린 채 숨을 3초간 멈춥니다. 이번에는 나오는 숨에 뿌-소리를 실어서 천천히 내보냅니다. 두 손은 점점 좁게 모이다 숨이 다 나간 순간에 만나게 됩니다.

이 훈련은 숨을 깊게 들어가게 하고 폐활량을 점차 늘립니다. 호흡이 길게 안정되면 목소리에도 깊이를 더할 수 있어요.

전신으로 울리는 목소리

'발성'이라는 단어를 그대로 풀어내면 '소리를 낸다'는 뜻이죠. 우리의 성대는 내쉬는 숨에 맞춰 진동하며 소리를 만들어냅니다. 그러니 우리가 어떻게 호흡하는지, 성대는 어떻게 진동하는지에 따라 발성은 그때그때 다르게 나타납니다. 자신의 상태를 잘 바라보고 몸에 맞는 자연스러운 소리를 내는 것이 '좋은 발성'의 시작입니다.

뿌―

두 손을 뱃고동처럼 생각하고 가볍게 말아서 입 앞으로 포갭니다. 뿌-소리를 내며 뱃고동을 울려 볼까요? 마치 어릴 때 장난처럼 재미있습니다. 최대한 길게 뱃고동을 불며 숨을 끝까지 내쉬는 것을 세 번 반복합니다.

이번에는 손을 내리고 입으로만 뱃고동 소리를 최대한 길게 세 번 반복합니다. 이때 배에는 어떤 느낌이 드는지 기억해 보세요.

같은 호흡으로 '마음이 힘들 때 낭독이 주는 위로'(『나에게, 낭독』중에서)라는 문장을 실어 보세요. 뱃고동을 더 크게, 길게 울리려면 복부의 힘을 써야 합니다. 탁 트인 발성과 온

몸의 공명을 터득하는 방법이에요.

소리의 길 그려보기

소리는 어디에서 나올까요? 우리 몸의 통로를 따라가 보겠습니다.

구름 위를 미끄러지듯 횡격막을 통과해 저 아래 골반의 바닥으로 내려가 보면 꼬리뼈 바로 위, 신성한 감각이 살아 숨 쉬는 천골이 보입니다. 이번에는 척추를 따라 갈비뼈로 이동해보면 다시 명치 쪽 횡격막에 도달합니다. 좀 더 위로 올라가 볼까요? 가슴이 뻥 뚫린 듯한 감각을 느끼며 성대가 보이고요, 입, 콧구멍, 광대뼈 안쪽의 공명강을 하나하나 바라보면 '소리의 길이 이런 거구나.'를 느끼게 됩니다. 소리의 길은 횡격막부터 성대로, 두개골의 공명강으로 이어지는 하나의 통로입니다.

우리 몸속 소리의 길을 그리며 발성해 보겠습니다. 두

팔을 앞으로 뻗고, 후- 소리와 함께 숨을 먼저 내보냅니다.
3초간 멈췄다가 두 팔을 앞으로 뻗으며 후- 소리를 냅니다.
숨을 가득 채우고 다시 3초간 멈추세요.

　모든 동작은 숨과 함께 발생하는 목소리가 몸통에서 팔
을 타고 이동한다고 상상하며 움직입니다. 다섯 번 반복하
고, 마지막에는 후- 소리 대신 '읽으면 뭉클하는 글이 있다'
라는 문장을 실어 연습해 보세요.

　팔을 뻗고 옆으로 늘리면 가슴 근육도 더욱 적극적으로
움직입니다. 폐의 깊은 곳까지 숨이 더 잘 들어가게 되겠죠.
이 훈련은 내 목소리가 전달되는 모습을 형상화합니다. 목

소리를 손 끝에 실어 내보내는 동작을 반복하다 보면, 어느 새 더 길고 멀리 전달되는 목소리를 느낄 수 있을 거예요.

전신으로 공명하라

우리의 목소리는 누구나 갖고 있는 것이기에 가장 쉽게 접 근할 수 있는 악기이지만, 또 다루기 힘들고 까다로운 악기 이기도 합니다. 이 악기를 아름답고 부드럽게 소리 내려면 올바른 호흡으로 공명강을 진동하는 것이 중요합니다. 그 래야 빈 공간을 타고 공기가 진동하면서 좋은 울림을 내거 든요.

소리는 어디서 생겨날까요? 얼굴? 성대? 아니면 횡격 막? 모두 정답입니다. 내 몸 전체가 큰 스피커같은 울림통 이죠. 이번 훈련은 상상의 공명강을 자유롭게 활용하며 울 림 있는 목소리를 만드는 연습입니다.

정수리가 바닥에 닿도록 몸 전체를 공처럼 둥글게 말고

깊이 호흡합니다.

숨을 천천히 들어오게 하고, 발바닥·발목·종아리·허벅지·골반·꼬리뼈·척추·목·머리까지 숨이 가득 찬다고 생각하며 몸 전체를 허밍으로 진동시킵니다.

이번에는 바닥에 닿은 정수리 위로 소리가 뻗어나가며 진동한다고 상상해보세요. 그 상태로 허밍을 이어나갑니다.

계속 깊게 호흡하며 발끝부터 머리까지, 척추를 타고 이어지는 내 모든 공명강의 진동을 느껴봅니다.

실제로 낭독할 때는 정수리가 바닥에 닿도록 몸 전체를 둥글게 말지는 않겠죠. 하지만 훈련으로 얻은 감각들은 내 몸에 남습니다. 마치 '커피'라는 단어에서 구수하고 부드러운 향기를 떠올리듯이, 우리는 익숙한 경험에 의해 감각을 소환합니다.

발음을 개선하는 혀 트릴

배우나 가수들이 푸르르르 하며 입술을 털기도 하고, 얼굴의 온 근육을 사용해서 과장되게 아에이오우 발음을 하는 것을 본 적이 있을 거예요. 이런 행동은 자연스럽게 근육을 늘리고 긴장을 덜어내는 효과가 있습니다.

지금 연습할 혀 트릴도 비슷합니다. 혀나 입술, 턱에 들어간 불필요한 힘은 발성과 발음을 방해하는데요. 혀 트릴은 성대의 진동과 발음을 개선하는 데 좋은 훈련법입니다.

먼저, 혀 앞쪽 끝부분을 입천장과 윗니 사이에 가볍게 닿게 합니다. 나오는 숨에 입을 약간 벌리고, '트르르르르' 하며 혀가 자연스럽게 움직이도록 털어봅니다. 만약 혀에

지나치게 힘을 주고 있다면 저항감이 크게 느껴질 거고요, 반대로 저항 없이 공기가 모두 새어 나가는 상태라면 혀의 힘이 너무 약한 것입니다. 처음부터 쉽게 되는 분도 있지만 그렇지 않은 분도 많습니다. 적당한 힘의 밸런스를 찾으며 섬세하게 조절해 보세요.

목소리의 문제 1. 쉰 목소리, 탁하고 갈라지는 목소리

목소리는 성대가 규칙적으로 떨리면서 열리고 닫히기를 반복하며 생겨납니다. 성대가 붙어 있는 순간적인 압력에 의해 힘 있고 맑은 소리가 터져 나오죠. 만약 목소리가 자주 쉰다면 성대 점막과 근육이 불규칙하게 움직이거나, 접촉이 제대로 되지 않을 가능성이 높습니다. 오랜 시간 목소리를 무리하게 사용했을 때 쉰 목소리가 나기도 하고요. 목소리 사용을 최대한 자제하면서 쉴 수 있다면 좋지만, 언제까지나 묵언수행을 할 수는 없겠지요.

목소리를 사용하는 것 역시 일종의 근육 운동입니다. 성대가 올바르게 움직일 수 있도록 도와주고, 튼튼하고 탄력있는 근육으로 만드는 방법을 알려드릴게요.

성대 접촉률 훈련

바른 자세에서 호흡을 아래로 내려 깊이 숨을 쉽니다. 후두와 성대 그리고 혀의 긴장을 최대한 없애는 것이 중요합니다. 성대에 힘을 빼고 최대한 낮게 아- 소리를 내며 목소리가 갈라지는지, 음성이 떨리는지, 탁한지, 쉰 목소리가 나는지 관찰합니다.

마지막 숨에는 명치 아랫부분의 횡격막과 복부의 힘을 이용해서 아- 소리를 내보냅니다. 아까보다는 힘 있고 단단한 소리입니다. 지금은 성대에 힘이 빠지고 접촉만 되어 있는 상태인데, 이때 성대는 어떤 감각인지 느껴보세요.

이번에는 눈앞에 가상의 목표점이 있다고 상상해 봅니다. 하 햐 허 혀 호 효 후 휴 흐 히를 짧고 강하게 소리내며 목표점까지 보내 볼까요?

마지막으로 아 에 이 오 우를 작은 음성으로 시작해서 조금씩 강하게, 목표점에 꽂히도록 소리 냅니다. 후두 부분과 턱, 입술, 혀의 긴장을 이완하고 숨에 음성을 실어 보낸다는 느낌으로요.

목소리의 문제 2. 힘없고 작은 목소리

말할 때마다 목소리가 기어들어가고 모기처럼 작은 목소리로 고민하시는 분들은 지금 자신의 목소리가 어디로 향하고 있는지에 주목할 필요가 있습니다. 목적이 정확할 때 음성은 탁 트이는 소리로 뻗어 나가게 됩니다. 이를 위해서는 소리를 명료하게 하는 대상화 훈련과 음성의 목표점을 인식시키는 물줄기 발성 훈련이 필요합니다.

대상화 훈련

상대방에게 내 말이 잘 들리게 해야 한다는 목적이 정확할 때 음성은 명확하게 전달됩니다. 만약 준비되지 않은 생각으로, 불명확한 심리상태로 나 자신 혹은 그 누구에게 낭독하거나 말하게 된다면 전달력이 떨어지겠죠. 무언가에 짓눌린 듯도 하고, 울림 없이 메마른 음성만 메아리칠 것입니다.

앞에 대상을 두고, 상황과 장면을 마치 그림 그리듯 이야기해주는 자신을 관찰해봅니다. 이 이야기 방법을 낭독에 적용하는 것이 중요합니다.

① 거울을 보고 나에게 얘기하는 훈련을 합니다.
② 인형을 앞에 두고 말을 해 주는 훈련을 합니다.
③ 인형과 함께 상황에 맞는 행동을 하며 낭독하는 훈련을 합니다.

물줄기 발성 훈련

물줄기 발성 훈련은 물줄기를 뿜듯이 목소리를 정해진

지점에 도달하게 하여 우렁차고 힘 있는 목소리를 만드는데 도움을 줍니다.

① 양손을 갈비뼈에 대고 숨이 골반까지 들어가는 상상을 합니다.
② 날숨의 통로에서 마치 물줄기가 뿜어지듯이 '뿌-' 소리와 함께 서서히 고개를 천장으로 올리며 소리를 마지막 숨까지 보냅니다.
③ 고개가 젖혀진 상태에서 숨을 깊게 들어가게 하고 서서히 제자리로 고개를 내리며 물줄기를 뿜듯 '뿌-'소리를 냅니다.
④ 정면에 목표를 설정하고, 가슴과 복부 전체를 울리는 느낌으로 '뿌-'소리를 보냅니다.
⑤ 그 소리에 문장을 연결하여 훈련합니다.

나의 원동력, 낭독

지금까지 연습한 방법들은 몸을 움직이거나 목소리를 활용하는 것뿐만 아니라 깊은 호흡으로 마음에 쌓인 응어리를 녹여내고 전신의 긴장을 사라지게 하는 시간이었어요. 호흡에 목소리를 실어 보내고, 몸의 각 부위가 움직이는 것을 느끼며 소리를 내다 보면 온몸의 감각도 함께 깨울 수 있습니다.

목소리는 꾸준히 훈련하면 좋아집니다. 맑은 음성인지, 차분한 음성인지, 저음인지, 높은 톤인지, 말이 빠른지, 느린지, 목소리에 힘이 있는지, 부드러운지, 내 목소리의 온도도 느껴보고 내 목소리의 빛깔도 찾아보세요. 지금의 내 목소리가 내가 꿈꾸는 음성과 닮아가는 모습을 그리며 매일 연습해 보는 거예요.

저는 신조어 중 '덕업일치'라는 단어를 좋아합니다. 열렬히 좋아하는 일을 직업으로 삼았다는 의미인데요. "너 그게 밥 먹여주니?"라고 누가 물으면 즐겁게 "네!"하고 대답할 수 있는 상황인 거죠. 가만히 앉아서 몇 시간씩 일할 때는 몸이 힘들 때도 있지만, 그럼에도 매일 행복하게 녹음하고, 낭독합니다. 제 목소리를 되찾았으니까요.

좋은 책을 만났을 때는 그 감동이 더 특별합니다. 마음에 드는 책을 낭독하며 설렘을 느끼고, 문장을 타고 흐르는 다양한 감정을 같이 겪어내면서 온몸의 세포와 오감까지도 함께 녹아드는 느낌이 들어요. 감정을 느끼고, 살아 있고, 치유되고, 그로 인해 몸과 마음이 계속 리프레시되는 기분이지요.

마음이 지치고 힘들 때는 짧은 문장, 하나의 음성에서 '그래 일어나자, 나는 나 자신을 온전히 사랑할 수 있어'하며 이 세상 살아갈 힘을 다시금 얻기도 합니다.

자, 이제 좋아하는 책을 들어 낭독해 보세요. 늘 새로 태어나는 일신우일신日新又日新을 경험하게 되실 거예요.

오디오북과 북내레이터

KBS 성우 17기로 데뷔하여 어느덧 41년차가 되었다. <X-File>의 스컬리, <롤러코스터 남녀탐구생활>, <이누야샤>의 금강, 프랑스 루브르박물관 작품 현지 한국어해설 외에도 한 번 들으면 잊히지 않는 다채로운 목소리로 소통해왔다. 지은 책으로는 『속상해하지 마세요(2010)』, 『인생에서 조금 더 일찍 알았으면 좋았을 것들(2011)』, 『나에게, 낭독(2018)』 등이 있으며 KAC 한국예술원과 북내레이터 아카데미 '나에게 낭독'에서 원석 같은 학생들의 목소리를 세공 중이다. 아름다운 목소리는 아름다운 세상을 만든다고 믿는다.

나는 도전한다

실패에서도 배우는 게 참 큽니다. 주저앉으면 실패가 되는 거죠. 그런데 거기서 배워 다시 일어난다면 실패가 아닌겁니다. 제가 처음부터 이렇게 생각하지는 못했어요. 그래서 오디오북 사업을 시작했다 실패했을 때, 무너졌죠. '스컬리'라는 캐릭터로 한창 인기 있던 시절이니까 뭐든 하면 되는 줄 알았습니다. 나를 필요로 하는 곳이 많으니 내가 원하기만 하면 다 이루어질 줄 알았던 거예요. 성우니까 내 재능을 담아서 오디오북 사업을 하면 막연히 잘될 거라고만 생각했습니다. 세상 물정을 하나도 몰랐던 때였으니까요. 그런데 하루가 멀다 하고 큰 자금이 필요했습니다. 결국 사업을 정리했습니다.

그 와중에 곰곰이 생각해 보니까 내가 달라져야겠더라고요. 내가 바뀌지 않으면 아무것도 바뀌지 않는 거다, 대쪽같이만 하니까 실패하는구나. 이제부터는 다른 길로 우회를 해볼까?

실패는 없습니다. 중간에 좌절하고 포기하지만 않으면 됩니다. 가는 길이 끊겨 있어도 새로운 길을 찾아가면 됩니다. 목적지까지 가는 길을 다시 찾으면 되는 거죠. 찾아봐도 길이 없으면 만들어서 가면 되고요. 그러면서 유연성도 생기더라고요. 아파트 한 채, 비싼 수업료를 치르고 깨달은 사실인 거죠.

그 실패를 바탕으로 지금의 '나에게 낭독'이 생겼습니다. 우리나라 최초로 만들어진 북내레이터 공부를 하는 곳이에요. 처음 '나에게 낭독'을 만들고자 했던 이유는 거창하지는 않습니다. 성우라는 직업의 특성과도 관련이 있는데요. 제가 일반 회사를 다녔으면 정년퇴직할 때쯤이잖아요.

"중간에 좌절하고
포기하지만 않으면 됩니다.
가는 길이 끊겨 있어도
새로운 길을
찾아가면 됩니다."

그럼 제 또래들은 퇴직금이나 연금을 받을 수 있죠. 그런데 성우는 은퇴하면 다른 수입이 생기지 않잖아요. 다른 대중 예술인과 달리 저작권 수입도 없고요.

갑자기 허무함이 들더라고요. 한창 일할 때는 몰랐습니다. 그래서 아무 길도 없으니 길을 만들어야겠다고 생각했습니다. 진지하게 노후를 고민해보았어요. 그러다가 생각난 것이 오디오북이었죠. 앞서 말했듯이 오디오북은 책입니다. 책을 쓴 사람은 인세를 받죠. 그러면 책을 읽어주는 사람이 되어 목소릿값을 받으면 되겠다고 생각한 거예요. 그래서 40년 동안 몸담은 성우 생활을 바탕으로 노하우를 집약했습니다. 가던 길이 무너져도 새로운 길을 내서 결실을 이루자는 거죠.

낭독의 매력

낭독을 하면서 '책을 좋아하는 사람들이 이렇게나 많았구나.' 하고 새삼 놀라게 됩니다. 팬데믹 이후, 특히 온라인 강의를 많이 하게 되었죠. 대면 강의는 여는 데 한계가 있지만 온라인 강의는 그런 게 없으니까요. 처음에는 온라인 수업에 의구심이 들어서 개설하는 걸 망설였습니다. 낭독을 할 때는 현장에서 느껴지는 집중력과 서로의 호흡, 울림 같은 것들이 느껴져야 합니다. 그런데 그런 것들이 온라인에서 충족될 수 있을까 생각했던 거죠. 참가자들의 호응은 당연히 기대하지 않았어요. 저 역시 심한 기계치라서 불편하다고 느끼니까요. 그런데 좋아해주시는 분들이 참 많더라고요.

저는 다른 지방에 강연을 자주 다닙니다. 거기서 문화에 대한 갈증을 느끼는 사람들을 많이 만났습니다. 문화는 수도, 우리나라는 특히 서울을 중심으로 발달돼 있으니까요. 지방이나 해외에 사는 사람들에게는, 반쯤은 재미 삼아 만든 이 온라인 수업이 정말 필요했던 거였습니다.

이때, '정말 열정적으로 사는 사람이 많구나.', '자기계발과 성장을 위해서 이렇게 치열하게 사는구나.' 하고 느꼈습니다. 낭독 수업에 오시는 학생은 주로 책이나 인문학에 관심이 있는 분들입니다. 낭독이라는 게 접근하기도 쉽지만 다른 분야와도 잘 어울리거든요. 예를 들면, 차를 마실 때 낭독을 곁들일 수 있고요, 명상을 한다면 명상에 낭독을 접목할 수도 있고요. 그림책을 낭독할 수도 있습니다. 도서관 사서는 공공기관의 도서관을 활성화시키는 데 낭독을 활용하고 있고요. 출판사에 다니는 분은 낭독을 직접 자신이 해보려고 했습니다. 오디오북을 제작해야 하기 때문에 스스로 경험해보려는 거죠.

얼마 전에는 '곤지암 힐링센터'에서 정모도 열었습니다. 우리나라 각지에서 참여하셨어요. 경상도에서도 오고 전라도, 제주도에서도 오셨더라고요. 교통비도 들고 시간도 많이 걸리는 일입니다. 이렇게 시간과 노력이 많이 드는데도 참 즐거워하셨어요. 직접 얼굴을 보며 대화하면서 마치 떨어져 있던 자매가 상봉한 듯 반가워하는 사람들이 있는가 하면, 풍경 좋은 정원에 모여앉아 돌아가면서 낭독을 하기도 했습니다. 그러다가 흥에 취해 노래도 몇 가락 부르기도 했죠. 다들 얼굴에 웃음이 떠나질 않았어요. 이렇게 신이 나 본 지가 얼마 만일까요? 모처럼 한 판 놀고 나니 문득이런 생각이 들었습니다. 우리가 진짜 원하는 건 이런 즐거움을 다른 사람과 나누고, 소통하려는 게 아닐까요?

그래서 이제는 책임감을 느낍니다. 문화를 누리고 싶은 사람들의 마음이 이렇게 간절하고 크다는 것을 알았으니까요. 직접 피부로 느꼈으니까요. 오래오래 낭독 인연들과 함께하고 싶어집니다.

우리가 낭독에 열중하는 이유

집에서 책을 읽을 때, 묵독보다는 목소리도 풀고 더 집중할 겸 소리 내서 읽었던 적이 많습니다. 그런데 돌이켜보니 그 모든 과정이 낭독이었습니다. 그냥 취미처럼, 놀이처럼 했던 게 낭독이었던 거죠. 어떤 때는 무미건조하게 발성 연습하듯이 읽기도 하고 또 어떤 때는 너무 감정이 넘친다 싶을 정도로 읽기도 했습니다. 이렇게 저렇게 막 읽어보면서 놀았어요.

우리에게는 사랑받고 싶고, 인정받고 싶은 마음이 있습니다. 저도 마찬가지예요. 나의 목소리로 사람들에게 다가

"다들 얼굴에 웃음이 떠나질 않았어요.
이렇게 신이 나 본 지가 얼마 만일까요?
우리가 진짜 원하는 건
이런 즐거움을 다른 사람과 나누고,
소통하려는 게 아닐까요?"

가고 싶은 거죠. 더 나아가 제 목소리를 사람들이 즐겨줬으면 좋겠고요. 이렇게 자신의 존재 가치를 찾아가고자 하는 겁니다.

누구나 다 주인공이 되고 싶어하죠? 표현하고자 하는 욕구도 있고요. 그래서 예술성은 모두에게 있다고들 하지요. 사람들은 자기랑 상관없는 거에는 별 관심이 없기 마련이잖아요. 나와 직접적으로 관련이 없으니 흥미도 안 생기고요. 그래서 적극적으로 참여해보면 훨씬 재밌습니다. 낭독을 통해서 독서가 굉장히 쉬워질 수 있고요.

독서가 다 같이 모여서 뛰어놀 수 있는 장이 될 수 있습니다. 책을 읽는 것도 독서토론에서 낭독문화로 바뀌어 가고 있습니다. 워라밸, 그러니까 사람들이 일과 삶의 밸런스가 맞춰진 삶을 추구하다 보니 자연스럽게 변화하는 거죠. 삶의 의미를 찾고 취미 활동에도 관심을 쏟고요. 게다가 매체도 많아지면서 다양한 이야기들을 접할 수 있게 되었습니다. 독서도 다양한 방식으로 할 수 있다는 것을 알게 된 거죠. 그래서 단순한 독서보다는 참여할 수 있는 낭독의 형태로 변모되어가는 게 아닐까 합니다.

그러니 지금 바로 낭독을 시작해보세요. 머뭇거리고 있다면 지금 시작해보시면 됩니다. 나와 책과 시간만 허락한다면 바로 시작할 수 있는 게 낭독입니다. 그냥 책을 읽으면 되는 거니까 쉽게 접근해서 꾸준히 하기만 하면 됩니다. 낭독을 경험했다면 그 경험을 가지고 낭독 소모임을 진행해보셔도 좋습니다. 모여서 소리 내어 책을 읽는 문화를 만들어가는 거죠. 그룹으로 했을 때, 더 지속 가능할 수 있기 때문입니다.

낭독으로 아침을 시작해보면 어떨까요. '나에게 낭독'에서는 새벽에 소모임이 열리고 있습니다. 아침 일찍 낭독하면서 하루 계획도 정리하는 문화가 생긴 거죠. 낭독을 함으로써 시간을 아껴 쓸 수 있게 되는 겁니다. 그런데 가장 중요한 것은 그때만큼은 오롯이 자기 자신을 위해 시간을 쓴다는 점입니다. 책을 읽으면서 산만한 생각을 잠재우고 나에게만 집중할 수 있죠. 좋은 기분으로 시작하는 아침은 하루 종일 긍정적인 영향을 미칠 겁니다.

낭독을 시작합니다

북내레이터란 무엇인가

북내레이터라는 말을 처음 들었을 때, 성우가 하는 일과 특별히 다른 게 있나 하는 생각이 들었습니다. 목소리로 내용을 전달하는 작업이니 같은 맥락이지 않을까 한 거죠. 물론 일맥상통하는 부분도 있긴 하지만 분명히 다릅니다.

북내레이터는 책 한 권의 흐름을 꾸준히 이어가면서 듣는 사람에게 내용을 온전하게 전달해줘야 합니다. 그리고 어떤 때는 두세 시간의 녹음을 완전히 혼자 책임져야 합니다. 한 사람의 기량에 달려 있는 거죠. 내 소리와 발음, 호흡이 고스란히 오디오북으로 남게 되니까 어설프게 녹음했다가는 내 민낯이 낱낱이 드러날 수도 있겠죠.

오디오북을 낭독할 때는 의미와 의미의 간격, 즉 포즈 pause를 두는 게 중요합니다. 소리내고 있지 않는 것 같아도, 실제로는 쉼이 주는 메시지가 생기기 때문이에요. 말을 하고 있지 않은 순간에 오히려 더 많은 감정을 전달할 수 있습니다. 예를 들면, 앞에 읽은 문장의 여운이 남아있을 때 포즈로 좀 더 붙잡아 둘 수 있겠죠. 중요한 단어 앞에서 잠시 쉬면서 강조하기도 하고요. 어떻게 보면 듣는 사람을 배려하는 것입니다. 혼자 책을 읽어 가는 게 아니라 같이 읽어 가는 거죠. 침묵하는 시간, 침묵하는 공간에 나 혼자가 아니라 이 낭독을 듣고 있는 대상이 함께 있잖아요. 보이지는 않지만 우리는 소리와 호흡으로 이어져 있습니다.

또, 북내레이터의 연기는 각 인물의 느낌을 분간할 수 있을 만큼 필요합니다. 특히 대사가 나오는 부분은 '누가 이야기를 하고 있고 어떤 감정을 가지고 있다.'라는 걸 알 수 있도록 해줘야 하죠. 책은 작가가 독자에게 전달하고 싶은 메시지를 묶어 글로 써낸 것입니다. 북내레이터는 책에 다른 불순물을 넣지 않으려 노력해야 합니다. 되도록 책이 주려는 메시지나 느낌 그대로를 그릇에 잘 담아서 전달해주면 되는 거죠. 지나치게 몰입해서 캐릭터 색깔을 덧입히는 건 지양해야 합니다. 날것의 책 그대로를 독자가 느낄 수 있도록 해야 하니까요. 실제로 연기가 과하거나 북내레이션을 지나치게 자기 해석대로 끌고 가면 듣기에 부담스러워하는 사람도 많습니다.

사람들이 책을 읽는 이유는, 스스로 책을 읽고 소화하며 느끼는 즐거움이 있어서라고 합니다. 책을 접했을 때, 각자 느끼는 바가 다르기 때문에 독서토론 모임도 생기는 거고요. 그런데 읽어주는 사람의 연기도 과한 데다 상을 다 차려서 떠먹여 주기까지 하면 어떻게 될까요? '내가 이해하고 싶은 방식은 이게 아닌데?', '난 이 장면에서 이렇게까지 느끼고 싶지 않은데.' 하고 생각할 수 있겠죠. 그래서 듣는 이에게 더 많은 기회를 줘야 합니다. 그러니 내레이터 자신의 생각을 빼고 담백하게 낭독하는 편이 더 많은 사람들의 마음을 담을 수 있겠죠. 수용력이 생기게 만들어주는 거예요.

소중한 목소리

사람을 완성시키는 건 목소리라고 생각합니다. 영화에 나오는 인물이나 애니메이션의 캐릭터를 봐도 마찬가지이고요. 방송 프로그램 한 편을 만들 때, 카메라 감독이 촬영하고 편집해서 영상을 완성합니다. 그다음에 음악을 삽입하고, 마지막에 내레이션을 넣어야 비로소 모든 작업이 완결됩니다. 영화나 애니메이션에 목소리가 없을 때는 그저 움직이는 그림같이만 느껴집니다. 그런데 성우가 목소리로 숨을 불어넣으면 인물이나 캐릭터에 영혼이 담기고, 살아 움직이게 되죠. 그래서 저는 '목소리는 영혼의 울림'이라는 표현을 좋아합니다.

자신의 목소리에 관심을 가지고 들어본 적이 많지는 않을 겁니다. 우리는 눈에 보이는 것에는 가치를 크게 둡니다. 그런데 눈에 보이지 않는 것은 그렇지 않을 때가 많습니다. 공기는 눈에 보이지 않죠. 그렇지만 10초 정도, 숨을 쉬지 않으면 어떻게 될까요. 답답하고요, 시간이 좀 더 흐르면 최악의 상황을 연상하게 됩니다.

목소리도 마찬가지입니다. 목소리가 갑자기 없어졌다고 생각해보세요. 소통을 못 하니 얼마나 답답할까요. 그런데 우리는 자신의 목소리를 가치 있게 느끼지 못하고 살아가고 있습니다. 그래서 목소리를 함부로 대하는 사람이 너무 많습니다. 자신의 목소리가 어떤 느낌인지, 무엇을 반영하는지 관심 갖지 않죠. 목소리 상태가 좋지 않아도 대수롭지 않게 생각하고요.

목소리는 정말 신비롭고 소중하며 아름다운 존재입니다. 어떨 때는 목소리만 통해서도 강한 메시지를 받기도 하죠. 눈에 보이지는 않아도 분명히 존재합니다.

"목소리가 좋아요."라는 말에는 "발음이 좋아요.", "발성이 좋아요.", "느낌이 좋아요."처럼 여러 가지 의미가 포함돼 있습니다. 때로는 '억양'이 좋다는 뜻도 되고 전달이 잘 된다는 뜻이기도 해요.

저는 평소에 목소리가 좋다는 말을 참 많이 듣고 살지만 처음에는 평범한 목소리였다고 평가합니다. 그런데 40년 동안 성우 생활을 하면서 목소리를 더 다듬고, 훈련한 거죠.

그런데 '훈련'이라는 단어를 오해하지 않았으면 합니다. 명창이 득음을 하는 것처럼 참고 버티며 수련했다는 뜻은 아니에요. 목소리에 좀 더 귀 기울이고, 편안한 상태를 지속하도록 노력하고, 컨디션이 좋은 날에는 몰입해서 낭독해 보기도 했습니다. 단기간에 바꾸기란 쉽지 않으니까요.

좋은 목소리도 '습관'입니다. 낭독을 해보고 싶은데 목소리가 좋지 않아서 고민하는 사람들도 있을 거예요. 목소리가 평범하다면, 목소리에 자신이 없다면 낭독을 해보는 게 좋습니다. 바위 위로 물방울이 한 방울씩 똑, 똑 하고 떨어지고 있는 장면을 상상해보세요. 처음에는 별로 달라질 게 없겠죠. 그런데 몇 년 동안 계속 떨어지고 있다면 어떨까요? 바위가 약간 패이게 될 거예요. 사람 목소리도 마찬가지입니다. 이처럼 습관이 되게 훈련하면 목소리가 좋아질 수 있습니다.

잘 안되는 것, 지금 나에게 어려운 것을 붙잡으려고 하기보다는 일단 먼저 그 순간에 머무르려고 해보세요. 오랫동안 낭독을 하면 젊었을 때 목소리와 지금 목소리를 비교할 수밖에 없습니다. 나이가 들면 근육량도 줄어들고 면역력도 떨어지면서 신체 조건이 달라집니다. 목소리도 신체 조건에 영향을 받습니다. 소리 자체도 꺼끌꺼끌해지고 목소리에 담긴 호흡도 좀 빠질 거예요. 그렇지만 지금의 소리에 더 집중하고 인정해야 합니다. 지나간 걸 아쉬워하고 아직 오지 않은 걸 바라지 않아야 합니다. 대신 낭독하는 동안의 감정, 순간의 몰입을 느끼도록 해보세요.

북 내레이터가 되기를 추천합니다

낭독이 익숙해졌다면 북 내레이터에 도전해보는 건 어떨까요? 오디오북 세상이 열렸습니다. 북 내레이터의 활약이 기대되고 있는 현실이죠. 4차 산업혁명으로 AI의 활약 또한 기대되고 있습니다. 하지만 모든 책을 다 AI로 만들 수는 없습니다. 사람이 낭독해야만 하는 책들이 있거든요. 북 내레이터는 앞으로 하나의 직업군이 될 거예요.

지식과 정보를 전달하고자 하는 오디오북은 굳이 사람이 낭독할 필요가 없습니다. 그런 책들은 그동안 TTS^{Text To Speech}로 많이 제작되었죠. 앞으로는 그 작업을 AI가 전담하지 않을까 생각합니다. 그런데 작가의 감성이 들어가 있어 숨결이 느껴지는 책들이 있습니다. 그런 책을 AI로 제작한다면 어떨까요? 아마 잠깐은 괜찮겠지만 1시간 이상 듣기는 힘들 거예요. 같은 패턴이 반복될 테니까 지루해지겠죠. 작가의 감성은커녕 숨결 또한 느낄 수가 없고요. 생명이 없는 목소리이기 때문입니다.

사람들은 보통 낭독하는 법이 따로 있다고 생각합니다. 결론부터 말하자면 낭독하는 법이 따로 정해져 있는 것은 아닙니다. 사람들은 다 자기 고유의 말투가 있어요. 자신만의 호흡이 있죠. 호흡이 빠른 사람도 있고 호흡이 늦는 사람도 있고요. 그래서 다 말하는 스타일이 다릅니다. 그러니 일정한 톤을 정해놓고 거기에 맞춰서 읽을 수는 없습니다. 평소에 말하는 자기만의 언어가 있으니까요. 목소리는 호흡과 함께합니다. 우리는 들숨과 날숨 중, 날숨에서 목소리를 냅니다. 숨을 쉬지 못하면 살아 있을 수 없듯, 목소리 또한 살아 있어야 낼 수가 있습니다.

직업이 성우이다 보니, 요즘 다양한 오디오 콘텐츠 녹음 제작에 참여하고 있습니다. 오디오 시대가 열리고 있다는 걸 몸으로 직접 느끼고 있어요. 현재는 주로 성우들이 오디오북 내레이터를 많이 하고 있습니다. 그런데 어떤 경우에는 성우가 너무 잘 낭독해서 독이 되는 오디오 북도 있습니다. 작가의 풋풋한 감성이 살아 숨 쉬는 책을 프로 냄새 나는 성우가 낭독을 하니, 내용은 내용대로 겉돌고 목소리는 목소리대로 둥둥 떠다녀요. 소박하게 피어 있는 노란 들국화를 화려한 유리병에 꽂아 놓은 꼴입니다. 물론 소박한 들국화를 꽂을 수 있도록 소박한 유리병으로 얼른 바꿀 수 있어야 진정한 프로이겠죠. 하지만 이미 트레이닝이 많이 되어 프로가 되어버린 축구 선수가 동네 축구 하는 곳에 가서 일부러 잘 못하려 해도 그게 마음대로 될까요?

지금은 다양성을 추구하는 시대입니다. 그래서 목소리 또한 다양해져야 합니다. 아이들 책은 아이들이 낭독해서 더 공감대가 형성될 수 있을 겁니다. 청소년 책은 청소년들이 낭독해 녹음하면 훨씬 더 공감하며 들을 수 있을 거예요.

저는 북내레이터들이 한 권의 책을 녹음도 하고 편집도 해서 완성까지 할 수 있도록 교육하고 있습니다. 오디오북 시장이 더 커지고 다양해질 수 있으면 하는 마음에서입니다.

그래서 책을 지금보다 더 좋아하려고 노력합니다. 책을 혼자서 읽기보다는 소리 내어 낭독하려고 합니다. 기왕 낭독하는 김에 녹음도 해보고, 편집도 해보고 있습니다. 다행히 같은 마음으로 모인 사람들이 수업하며 낭독법을 배우는 일을 계속하고자 합니다. 출판사들도 뜻을 함께한다면 북내레이터들을 더 많이 배출해내지 않을까 생각합니다.

지금은 이미 출판된 책을 오디오북으로 만들고 있죠. 하지만 앞으로는 오디오북을 만들기 위해 글을 쓰는 작가가 나오기도 할 거예요. 오디오북이 먼저 알려지고 난 뒤, 종이책도 나오고 웹툰도 나오고 드라마도 만들어지는 시대도 오지 않을까 상상해봅니다. 웹소설 또한 오디오북으로 만들어지고 있죠. 앞으로는 오디오북이 더 다양해질 테고 오디오북 사업도 활성화될 날이 머지않았습니다. 다양성을 추구하는 21세기에 더욱 매력 있는 직업, 북내레이터를 꿈꿔보지 않으시겠어요?

좋은 북내레이터란

다 듣고 나면 책 내용이 마음에 남게 하는 목소리, 귀로 들었을 때 책의 감동이 배가되는 목소리를 낼 수 있는 사람이 좋은 북내레이터라고 생각합니다. 북내레이터는 듣는 사람이 책 내용을 이해하는 데 중점을 두어야 합니다. 목소리가 독서를 방해하면 안 되는 거죠.

듣고 나면 "책 내용, 너무 좋다."는 말이 나오는 게 이치에 맞습니다. 애초에 책을 읽고 싶었던 거니까요. "목소리 좋다."는 말이 나오면 북 내레이터로서는 좋지 않은 평가라고 생각합니다. 패션쇼를 보는데 '옷 예쁘다.'라는 말이 나와야지, '모델 예쁘다.'라는 말이 나오면 주객이 전도되는 게 아닐까요.

그래서 저는 오디오북 녹음을 선호하지 않습니다. 방송으로 이미 많이 알려져 있어서 듣는 사람들이 책 내용보다 목소리만 기억할 소지가 있거든요. 하지만 북 내레이터는 책 내용에 잘 맞는 음성이라면 얼마든지 청취자들의 귀를 잡아끌 수 있습니다.

처음 녹음을 할 때, 책 내용에 집중해서 녹음하세요. 처음부터 목소리에 신경 쓰지 않아도 됩니다. 북 내레이터가 되려면 발음을 정확하게 하고 발성을 편안하게 해야 합니다. 하지만 가장 중요한 것은 내용을 정확하게 전달하는 일입니다. 내용이 먼저 기억에 남은 다음에 '누구 목소리일까?' 하고 궁금해지게 하는 사람, 그런 사람이 북내레이터에 가장 적합합니다.

오디오북의 꽃은 내레이터입니다. 종이책으로는 베스트셀러가 되지 못했지만 오디오북이 출시되면서 역으로 종이책이 같이 팔린 경우도 종종 있거든요. 그만큼 내레이션에 힘이 있는 거죠.

사람들은 보통 오디오북을 오디오콘텐츠라는 개념과 섞어서 인식하고 있죠. 하지만 오디오북도 결국은 '책'입니다. 그러니 거기에 무슨 음향 효과를 넣을지 배역은 어떻게 나눌지 하는 것만 추구해서는 안 됩니다. 책을 읽을 때는 보통 혼자 조용히 보기 때문입니다. 소설책을 읽는다면 혼자 상상하면서 캐릭터들을 만들어내게 될 거고요.

그래서 오디오북은 한 명의 내레이터가 처음부터 끝까지 낭독해야 한다고 생각합니다. 한 사람이 자신의 감성으로 쭉 읽어나가야 하는 거죠. 연기에 힘을 많이 줄 필요도 없습니다. 내레이션인지 대사인지만 구별해주면 되는 거죠. 책은 앞뒤에 다 설명이 돼 있잖아요. 굳이 목소리로 구별해줄 필요가 없어요. 음악도 과해서는 안됩니다. 집중해서 듣다 보면 방해가 되기 때문이죠. 음악을 넣고 싶다면 기존의 음악보다는 새로 작곡하는 편이 좋습니다. 책을 충분히 읽어보면서 어떤 음악이 들어가면 좋을지 고민해야 하고요.

지금은 역할에 맞는 사람을 캐스팅하는 작업도 합니다. 언젠가 일명 '19금'이라는 고수위 로맨스 소설을 재미 삼아 녹음해본 적이 있습니다. 처음에는 쉬울 줄 알았죠. 그런데 녹음하면서 기절할 뻔했어요. 막상 녹음해보니 웹소설이 다큐멘터리가 되더라고요. 로맨스 소설에 맞는 목소리가 따로 있었습니다. 찰랑찰랑하면서도 흐느적거리는 목소리. 그런데 제 목소리는 아니었던 거죠. 그래서 이제는 콘텐츠에 맞는 목소리를 찾아서 둘을 매칭하는 일에 더 집중합니다. 그런데 이 일도 참 재밌습니다. 성우 출신이기 때문에 더 적성에 맞는 게 아닐까 생각하죠. 이렇게 콘텐츠와 관련된 전문가가 앞으로 많이 생겨났으면 좋겠습니다.

북내레이터에 관심이 있으세요? 그렇다면 이렇게 해보는 것을 추천합니다.

첫 번째, 발음과 발성에 충실해야 합니다. 우리말을 어떻게 발음하는지, 어디서 끊어 읽어야 하는지, 억양은 어떻게 해야 하는지를 배워야 합니다. 우리말은 목적어를 앞에 붙이는지 뒤에 붙이는지에 따라서 그 의미가 크게 달라집니다. 어디서 끊어 읽는지에 따라서도 뜻이 달라지고요. 너무 어렵게 들리세요? 간단한 방법을 소개해보겠습니다. 평소 라디오나 영상으로 뉴스를 볼 때, 아나운서들이 하는 말을 귀 기울여 들어보세요. 그러고 나서 똑같이 따라해보는 겁니다. 아나운서의 말을 녹음하고 자신이 따라한 것을 녹음해서 번갈아 비교해보는 방법도 좋습니다. 좋은 교본을 하나 두고, 반복적으로 연습해서 체득해야 하겠죠.

두 번째, 자신의 목소리를 객관적으로 인식하는 작업이 필요합니다. 낭독하는 법이 따로 있는 것은 아니지만 앞서 말한 발음, 발성, 끊어 읽기, 억양은 배워야 하죠.

목소리를 좋게 만들고 싶다면 이렇게 해보세요. 하루에 딱 10분만 투자하면 됩니다. 방해받지 않고 집중할 수 있는 장소를 찾으세요. 조용하다면 가장 좋겠지요. 낭독할 책을 준비하고 옆에 녹음기도 준비합니다. 책에서 원하는 부분을 골라서 5분 동안 녹음합니다. 그러고 나서 남은 5분 동안 자신이 녹음한 것을 들어봅니다.

처음에는 자신의 목소리를 듣기가 쉽지 않을 거예요. 익숙하지 않아서 이상하게 느껴지기도 하니까요. 하지만 그래도 이 작업을 반복하도록 하세요. 하루, 이틀, 그렇게 일주일 정도 지나면 자신의 목소리를 듣는 게 이제는 그다지 어렵지 않을 겁니다. 그때부터는 녹음 파일을 들으면서 내 목소리의 특징을 잘 찾아봐야 합니다. 자신 없이 웅얼거리면서 말하지는 않는지, 소리를 밖으로 못 내뱉지는 않는지, 아니면 내가 입을 작게 열어서 말하지는 않는지를 확인해봐야 합니다. 이렇게 하면 자신의 목소리의 단점을 스스로 알 수 있게 됩니다. 다음 날 녹음할 때는 그 단점이 나타나지 않게 신경 써서 녹음하게 되겠죠. 그렇게 녹음한 것도 또 모니터를 해봐야 합니다. 딱 한 달만 해보세요. 한 달이 되는 날 녹음한 파일과 첫날 녹음한 파일을 비교해서 들어보면 목소리가 달라져 있다는 것을 알게 될 겁니다. 그렇게 1년을 꾸준히 녹음해보세요. 매달 목소리가 좋아지고 있다는 사실을 느끼게 될 거예요.

세 번째, 글의 표면적인 뜻과 이면적인 뜻을 함께 잘 파악해내야 합니다. 우리가 글을 볼 때, 글 자체에 나타나는 표면적인 뜻이 있습니다. 그런데 그게 다가 아니죠. 글 내용에 담긴 이면적인 뜻도 있습니다. 두 뜻을 잘 이해하고 납득해서 나 자신이 그 글에 공감해야 합니다. 그렇게 해야 기술적 부분이 융합되어 훌륭한 북내레이터가 될 수 있습니다.

'나에게 낭독'에서도 북내레이터를 훈련하고 있습니다. 평범한 사람이 북내레이터가 되기까지 최소 2년 정도의 훈련 기간이 필요했습니다. 그런데 2년이 지났는데도 성장하지 못한 경우도 있습니다. 언어 습관의 문제일 수도 있고 감성의 문제일 수도 있습니다. 전자라면 기술적 훈련을 충분히 하면 고칠 수 있습니다. 그런데 감성의 문제는 다릅니다.

감성은 태어나서 자란 환경과 지금 처해 있는 현실이 영향을 줍니다. 저도 마찬가지입니다. 처해 있는 상황이 어렵다면 좋은 목소리가 나올 수가 없어요. 목소리를 내는 일은 영혼의 작업이기 때문에 그렇습니다. 그런데 나에게만 집중할 수 있다면 어떨까요? 지금 마음이 편안하고 즐겁고 행복하다면 자유로운 목소리가 나올 수 있겠죠.

상황이 좋지 않다고 해서 답이 없는 것은 아닙니다. 낭독에는 치유와 해소의 힘도 있습니다. 걱정거리가 있으면 오히려 낭독하면서 해소할 수 있습니다. 낭독으로 위로를 받는 거죠. 이때야 비로소 자신의 목소리가 나옵니다. 그 목소리가 참 좋습니다.

목소리에 투자하라

오디오북 산업은 최근 출판 시장에서 가장 괄목할만한 성장세를 보였습니다. 오디언, 윌라, 밀리의 서재, 오디오펍… 오디오북을 들을 수 있는 사이트도 많아졌습니다. AI 인공

지능 기반의 사물인터넷^{IoT} 서비스 확산, 코로나 팬데믹으로 인한 사회적 거리두기 같은 사회적 배경에 새로운 재미와 가치를 찾고 싶어하는 독자들의 수요가 맞물린 결과입니다.

그렇다면 오디오북을 제작하는 현실은 어떨까요? 300쪽 내외의 종이책 한 권을 오디오북으로 만든다면 평균 러닝타임이 8시간 정도 됩니다. 프로 성우의 내레이션 비용은 완성 파일 1시간 기준으로 20만 원 정도이니 한 권을 완독했을 때는 160만 원이 들겠군요. 그런데 오디오북은 내레이션만으로 완성되는 것이 아니죠. 녹음실 사용료와 엔지니어 인건비, 음원 사용료, 그 외에도 오독 체크와 단락별로 편집도 해야 합니다. 출판계가 말하는 평균 제작 비용은 권당 700만 원입니다.

그렇기 때문에 해마다 한국출판문화산업진흥원에서는 오디오북 제작 지원 사업을 하고 있습니다. 양질의 오디오북을 더 많이 만들라는 격려이기도 한데요. 한 출판사에 최대 3권까지, 한 권당 500만원을 지급합니다. 열심히 만든 결과물이 모두 선정된다면 참 좋을 겁니다. 그런데 채택되지

"낭독으로 위로를 받는 거죠.
이때야 비로소
자신의 목소리가 나옵니다.
그 목소리가 참 좋습니다."

못했을 경우는 어떨까요? 출판사에서 자체적으로 투자해 오디오북을 제작하려면 한두 권 만들어서는 수익이 나기 힘들 겁니다. 높은 제작비 탓에 원하는 만큼 오디오북을 만들기에는 부담스럽기도 하고요.

제작비 중 가장 비중이 높은 목소리 이야기를 해보려 합니다. 북 내레이터가 지금처럼 책 한 권을 읽고 정해진 비용을 선불로 받는 것이 아니라, 추후 정산해서 수익을 일정 비율로 나누어 가지는 방식이라면 오디오북 제작 상황이 보다 유연해지지 않을까요? 이는 작가가 책을 쓴 후 판매량에 따라 인세를 받는 개념, 또는 투자한 지분에 따라 배당금을 나눠 갖는 것과 비슷합니다. 오디오북 제작사에서는 초기 비용 부담이 훨씬 줄어듭니다. 북 내레이터는 참여한 책이 누적되고 성과를 낼수록 마치 연금처럼 꾸준히 수익을 낼 수 있을 것이고요.

하지만 그렇게 되기까지 노력과 시간을 꾸준히 투자해야 할 것입니다. 노동이라고만 생각하고 접근한다면 금세 지칠 거예요.

얼마 전, 친한 프로듀서가 들려준 말입니다. 미국인 친구들하고 이야기하다 보면 "왜 한국에는 오디오북이 드물어?"라는 질문을 많이 받는다고 해요. 2022년 미국 오디오북 시장 규모는 22억 달러(한화 약 2조 4천억원)를 기록했고, 아마존의 오디오북 서비스 '오더블'은 전자책 서비스인 '킨들'의 시장점유율을 이미 뛰어넘었다고 합니다. 이런 상황이니 총 1만 5천 권 정도가 유통되는 한국의 오디오북 시장이 아주 작게 느껴질 만도 하지요.

프로듀서는 미국인 친구에게 "한국은 오디오북이 이제 태동했다. 앞으로 5년 정도면 오디오북 산업이 자리 잡을 것이다."라고 대답했답니다.

여러분은 언제 오디오북을 듣나요? 자기 전에, 출근길에, 운전할 때, 가볍게 산책할 때… 책상에 자리잡고 앉아 독서하지 않아도 오디오북은 일상 언제 어디에서나 들을 수 있습니다. 아동 대상의 오디오북은 바쁜 부모를 대신해

주기도 하고요.

오디오북의 가장 큰 장점은 한 번 틀어놓고 이것저것 다른 일, 즉 '멀티태스킹^{multitasking}'이 가능하다는 점입니다. 지식도 쌓고 싶고, 사람 목소리에서 온기도 찾고 싶고, 운동도 해야겠는데 도저히 시간은 나지 않는 현대인에게 적합한 콘텐츠이죠.

AI 인공지능과 음성합성 기술의 발전도 주목할 만합니다. 예전의 TTS는 끊어 읽기도, 음의 높낮이도 부자연스러운 기계음이었지만 현재 음성합성 기술은 꽤 자연스러운 낭독자 음성을 구현하고 있습니다. 동영상 플랫폼의 짧은 콘텐츠에 더빙된 밝은 목소리들, 유명 배우의 목소리 데이터를 이용하여 그가 직접 낭독하지 않고도 책 한 권을 오디오북으로 만든 사례, 고인이 된 유명인들의 생전 목소리를 재현해 음성 콘텐츠로 만든 사례도 있지요. 수년 전만 해도 실제에 가깝게 음성을 재현하려면 서너 시간씩 녹음하여 데이터를 만들어야 했지만, 최근 기술은 1분 미만의 음성 샘플만으로도 목소리를 그대로 복제하여 재현할 수 있다고 합니다.

낭독을 시작합니다

고급 기술이 상용화되어 대중의 접근이 쉬워지면, 기존 책뿐만 아니라 팟캐스트 형식의 오디오북, 오디오 드라마, 오디오 강의처럼 다양한 형태로 콘텐츠가 만들어질 수 있습니다. 지금은 일방향 콘텐츠로만 즐기고 있지만, 독자들과 상호작용하는 형태가 될 수도 있겠군요. 리뷰 공유, 의견 교환, 낭독자와의 인터뷰, 독자와의 토론 등을 통해 더욱 풍성한 오디오북 체험이 가능할 것입니다. 어떤가요, 프로듀서 말처럼 앞으로 5년 정도면 오디오북 산업이 자리잡겠지요?

　　오디오북은 농사에 비유하면 이제 씨앗을 뿌려가는 단계입니다. 저는 그 위에 물도 주고 거름도 주며 길게 공들이고 싶습니다. 거저 맺히는 열매는 없으니, 조바심 내지 않고요.

낭독을 시작합니다

1판 1쇄 펴냄 2023년 9월 15일

지은이	문선희·정남·이용순·임미진·송정희·조예신·서혜정
그린이	수신지
사진	이준근
디자인	이새미
펴낸이	김은선
펴낸곳	페이퍼타이거

등록	제 25100-2021-000032호
전화	02-6928-5040
팩스	02-6280-5045
인스타그램	@book_papertiger

ISBN 979-11-90466-04-2